Le guide de la
dégustation
des
fromages

Catalogage avant publication de Bibliothèque
et Archives nationales du Québec et Bibliothèque
et Archives Canada

Haineault, Sylvie

    Le guide de la dégustation des fromages

    3ᵉ édition

    (Collection Alimentation)

    ISBN 978-2-7640-1525-4

    1. Fromage. 2. Cuisine (Fromage). 3. Fromage –
Dégustation. I. Fouillet, Gérard, 1954-   . II. Titre. III.
Collection : Collection Alimentation.

    TX382.H34 2009   641.3'73   C2009-941674-3

© 2009, Les Éditions Quebecor
Une compagnie de Quebecor Media
7, chemin Bates
Montréal (Québec) Canada
H2V 4V7

Dépôt légal : 2009
Bibliothèque et Archives nationales du Québec

Pour en savoir davantage sur nos publications,
visitez notre site : www.quebecoreditions.com

Éditeur : Jacques Simard
Conception de la couverture : Bernard Langlois
Illustration de la couverture : Istock photo

Imprimé au Canada

DISTRIBUTEURS EXCLUSIFS :

• Pour le Canada et les États-Unis :
  MESSAGERIES ADP*
  2315, rue de la Province
  Longueuil, Québec J4G 1G4
  Tél. : (450) 640-1237
  Télécopieur : (450) 674-6237
  * une division du Groupe Sogides inc.,
  filiale du Groupe Livre Quebecor Média inc.

• Pour la France et les autres pays :
  INTERFORUM editis
  Immeuble Paryseine, 3, Allée de la Seine
  94854 Ivry CEDEX
  Tél. : 33 (0) 4 49 59 11 56/91
  Télécopieur : 33 (0) 1 49 59 11 33

  **Service commande France
  Métropolitaine**
  Tél. : 33 (0) 2 38 32 71 00
  Télécopieur : 33 (0) 2 38 32 71 28
  Internet : www.interforum.fr

  **Service commandes Export –
  DOM-TOM**
  Télécopieur : 33 (0) 2 38 32 78 86
  Internet : www.interforum.fr
  Courriel : cdes-export@interforum.fr

• Pour la Suisse :
  INTERFORUM editis SUISSE
  Case postale 69 – CH 1701 Fribourg –
  Suisse
  Tél. : 41 (0) 26 460 80 60
  Télécopieur : 41 (0) 26 460 80 68
  Internet : www.interforumsuisse.ch
  Courriel : office@interforumsuisse.ch

  Distributeur : OLF S.A.
  ZI. 3, Corminboeuf
  Case postale 1061 – CH 1701 Fribourg –
  Suisse

  Commandes : Tél. : 41 (0) 26 467 53 33
  Télécopieur : 41 (0) 26 467 54 66
  Internet : www.olf.ch
  Courriel : information@olf.ch

• Pour la Belgique et le Luxembourg :
  INTERFORUM BENELUX S.A.
  Fond Jean-Pâques, 6
  B-1348 Louvain-La-Neuve
  Tél. : 00 32 10 42 03 20
  Télécopieur : 00 32 10 41 20 24

Gouvernement du Québec – Programme de crédit d'impôt pour l'édition
de livres – Gestion SODEC.

L'Éditeur bénéficie du soutien de la Société de développement des entre-
prises culturelles du Québec pour son programme d'édition.

Nous reconnaissons l'aide financière du gouvernement du Canada par
l'entremise du Programme d'aide au développement de l'industrie de
l'édition (PADIÉ) pour nos activités d'édition.

Sylvie Haineault et **Gérard Fouillet**, chef cuisinier

Le guide de la
dégustation
des
fromages

Les choisir, les goûter et les offrir

3e édition

LES ÉDITIONS
Quebecor
Une compagnie de Quebecor Media

INTRODUCTION

Incontestablement, le fromage, qu'il soit d'ici ou d'ailleurs, est un des meilleurs produits laitiers. Dans ce livre, vous trouverez donc une foule de renseignements sur vos fromages préférés, bien sûr, mais aussi sur des fromages dont vous ne savez peut-être rien, et que vos papilles gustatives seront ravies de connaître.

Vous découvrirez ainsi, au fil des pages, l'origine, la saveur et la consistance d'une grande variété de fromages, ainsi que des recettes vous permettant de tirer le maximum de chacun d'eux. De l'entrée au dessert, vous le verrez, le fromage est partout! Qu'il soit maigre ou gras, ferme ou crémeux, blanc ou bleu, de vache ou de chèvre, le fromage, riche en protéines et en calcium (nutriment essentiel dans le processus de la croissance) s'apprête de mille et une façons et est un des aliments qui procurent le plus de satisfaction.

LA NAISSANCE DU FROMAGE

Il était une fois, il y a très longtemps, dans une contrée très éloignée, un jeune homme qui partit en voyage. Il remplit de lait une gourde confectionnée avec l'estomac d'un animal, puis entreprit sa longue route. Il marcha, marcha, marcha. Jusqu'à épuisement. C'est alors que la pensée du lait dans sa gourde lui mit l'eau à la bouche et il décida de s'en offrir une gorgée. Quelle ne fut pas sa surprise, pour ne pas dire sa stupeur, lorsque, au lieu du merveilleux liquide blanc, il découvrit des morceaux d'une substance laiteuse, plus ou moins fermes, flottant dans un liquide opaque. Le lait avait caillé! Curieux, le jeune homme goûta néanmoins ce produit inconnu — il lui trouva fort bon goût.

Le premier fromage à pâte fraîche venait de faire son apparition.

Au temps des Anciens Grecs et Romains, le fromage se consommait tantôt en tranches, tantôt râpé, tantôt sous forme de pâtisseries ou de gâteaux. Apprécié tant par les marins que par les soldats, il était un aliment précieux, car il constituait un des plus importants produits laitiers de l'époque. De nombreux écrits rapportent que les Romains fabriquaient leur fromage à partir non seulement du lait de la vache, mais également du lait de la brebis, de l'ânesse et de la bufflonne. Peu à peu, les techniques de fabrication du fromage se sont raffinées et les variétés se sont multipliées.

Aujourd'hui, le marché mondial regorge de centaines de variétés de fromages et le consommateur n'a plus que l'embarras du choix.

CHOIX ET ACHAT

Nous choisissons généralement un fromage pour son goût, selon nos préférences et celles des personnes à qui nous le servirons; nous choisissons aussi un fromage en fonction de l'usage que nous en ferons. Ainsi, pour un gratin parfaitement réussi et doré à souhait, on n'utilisera pas un cheddar, pas plus qu'on ne servira une collation à un enfant en lui badigeonnant du roquefort sur ses craquelins!

L'achat du fromage est tantôt une affaire simple, tantôt une entreprise compliquée, onéreuse et bien souvent frustrante, reconnaissons-le.

L'affaire est simple quand on sait ce que l'on veut et que l'on connaît la saveur du fromage que l'on dépose dans le panier d'épicerie; l'entreprise se complique quand, pour une raison ou pour une autre — envie de saveurs nouvelles, réceptions, etc. —, on se heurte à des emballages soigneusement scellés portant des noms tout aussi inconnus que mystérieux.

Au prix où se vendent les fromages, bien peu de gens peuvent se permettre de prendre le risque, tout en ayant bien présente en tête l'idée que ce fromage, qui soulage effrontément la bourse, finira peut-être son bref règne à la poubelle. En conséquence, beaucoup de fromages, qui gagneraient à être goûtés, demeurent longtemps, trop longtemps, dans les comptoirs réfrigérés des épiceries pour être finalement repris par les compagnies quand arrive la date de péremption.

Le mieux, quand on veut s'offrir une aventure fromagère, est encore de visiter une fromagerie ou une épicerie fine, là où, généralement, les commis, qui sont souvent les propriétaires eux-mêmes, prennent un réel plaisir à vous faire goûter divers fromages, tout en vous donnant de précieuses informations sur l'un et l'autre.

Essayer un nouveau fromage, c'est faire appel à ses sens. On veut voir, sentir, toucher, goûter. Tout, dans un fromage, a de l'importance, même si l'importance que l'on accorde à un aspect est plus grande que celle que l'on accorde à un autre. Pour certaines personnes, le parfum qui se dégage d'un fromage — doux, sucré, corsé, épicé — est d'une importance capitale, tandis que pour d'autres, c'est la texture — fondante, granuleuse, ferme — qui devra convenir pour remporter la victoire, celle qui fait qu'on l'achète!

Il y a tant et tant de variétés de fromages qu'il est quasiment impossible d'en dresser une liste exhaustive. Certains spécialistes affirment qu'il y en a plus de 500 dans le monde, excluant les fromages propres à chaque pays et les fromages régionaux, ce qui fait très certainement un total de plusieurs milliers de sortes de fromages.

Cependant, de façon générale, les fromages se divisent en six grandes catégories. Pour ce livre, nous avons d'ailleurs emprunté la classification de base du Bureau laitier du Canada, telle qu'elle est définie dans sa brochure *Nos fromages, par goût et par cœur* (1987). Ces six catégories sont donc les suivantes:

LES PÂTES FRAÎCHES: à la crème, boursin, cottage, mytzithra, neufchâtel, petit suisse, quark, ricotta, tuma;

LES PÂTES MOLLES: brie, camembert, langres, limburger, livarot, maroilles, munster des Vosges, neufchâtel (français), pont-l'évêque, remoudou;

LES PÂTES DEMI-FERMES: alpina, bocconcini, burrini, caciotta, casata, feta, fior di latte, havarti, monterey jack, mozzarella, munster, oka, saint-paulin, scamorza, serra, sursis, tomme, trecce;

LES PÂTES FERMES: brick, cheddar, colby, édam, elbo, emmental, fontina val d'aosta, gouda, gruyère, montasio, newbra, provolone, raclette, saint-andré, tilsit;

LES PÂTES DURES: grana-padano, kéfalotyri, parmesan, pecorino romano;

LES PÂTES PERSILLÉES: bleu, gorgonzola, roquefort, stilton.

Vous trouverez sous chaque catégorie le nom des fromages décrits dans le présent ouvrage, puis la description de ces catégories et des fromages, ainsi qu'une foule de recettes aussi délicieuses que faciles à préparer.

LES PÂTES FRAÎCHES

Tout fromage commence, bien sûr, par être une pâte fraîche. Au tout premier stade, sitôt que le lait a passé la première étape de transformation qu'est le caillage, le produit ainsi obtenu s'appelle une pâte fraîche. On nomme donc ainsi les fromages qui ne subissent aucune autre étape de fabrication, si ce n'est qu'on leur rajoute parfois des fines herbes, de l'ail, des épices, du poivre et, occasionnellement, des fruits, afin de les aromatiser. Une exception cependant s'applique à certains fromages à pâte fraîche qui subissent parfois une période plus ou moins longue d'égouttage qui les rend un peu plus fermes. Ceci dit, les fromages à pâte fraîche ne subissent jamais ni cuisson, ni pressage, ni fermentation, ni affinage.

La majorité des fromages à pâte fraîche sont fabriqués à partir de lait de vache, quoique certains d'entre eux tirent leur délicieuse saveur du lait de chèvre ou de brebis, comme c'est le cas du mytzithra et de certaines variétés de tuma et de ricotta.

Le lait utilisé est tantôt entier, tantôt écrémé, tantôt additionné de crème, ce qui rend son taux de matière grasse extrêmement variable. Celui-ci oscille sur une échelle qui va généralement de 0 % à 30 %, mais qui, occasionnellement, peut atteindre 70 %.

Les fromages à pâte fraîche sont doux, souvent grumeleux, mous, onctueux, très humides (jusqu'à 80 % d'humidité) avec, dans le goût, une note délicieusement acidulée (qui ne doit cependant jamais être aigre). On les consomme avec des mets salés ou sucrés, selon ses préférences.

Ils sont très fragiles et leur durée de conservation est également très limitée. Dans leur emballage d'origine, avant d'être entamés, ils peuvent être conservés un maximum de deux semaines; cependant, sitôt que le contenant ou l'emballage est ouvert, leur durée de vie se réduit à cinq ou six jours. Il est donc essentiel, quand vous achetez un fromage à pâte fraîche, de vérifier la date de fabrication ainsi que la date de péremption.

Par ailleurs, les fromages à pâte fraîche ne supportent pas (ou alors très mal) la congélation.

* * *

À LA CRÈME (type: philadelphia)

 Pâte fraîche

🌐 Amérique du Nord

Le fromage à la crème est malléable, sans croûte, à pâte blanche, onctueux, doux et velouté, ferme et crémeux à la fois; sa saveur est délicate et fraîche, en même temps que légèrement acidulée. Il est fait de lait de vache double crème. On le trouve nature, aromatisé, doux ou piquant, salé ou sucré, au poivre, aux herbes, à l'ail ou encore à l'ananas, à la pêche ou à la cerise.

CANAPÉS DE SAUMON FUMÉ
AU FROMAGE À LA CRÈME (pour 4 personnes)

6 tranches de pain de mie ou 24 biscuits soda
1 1/2 tasse (375 ml) de fromage à la crème, nature
6 grosses tranches de saumon fumé
1 c. à soupe (15 ml) de câpres
1 c. à soupe (15 ml) d'huile d'olive
2 branches de persil italien, finement haché
24 petites violettes (fleurs)

Faites griller le pain, puis beurrez-le avec le fromage. Retirez les croûtes et garnissez les tranches de saumon fumé. Coupez chacune des tranches en quatre pointes. Parsemez de câpres, arrosez très légèrement d'huile d'olive, saupoudrez de persil et décorez de violettes.

🍷 Bière blonde; vin blanc mousseux ou vin rouge fruité et doux.

BOURSIN

 Pâte fraîche

France

Un fromage très crémeux, épicé, parfumé d'herbes ou de poivre au goût très raffiné et riche — les amateurs en raffolent. Fondant, léger, délicieux, ce fromage lisse, crémeux, épicé et savoureux, fait de lait de vache triple crème, se laisse déguster à toute heure du jour ou de la nuit, et en toutes circonstances!

MÉDAILLONS DE FILET DE PORC AU BOURSIN
(pour 4 personnes)

2 filets de porc (grosseur moyenne)
1/2 c. à thé (2,5 ml) de thym frais
1/2 c. à thé (2,5 ml) de cerfeuil frais
sel et poivre
2 c. à soupe (30 ml) de beurre
1 c. à soupe (15 ml) d'échalote sèche (française), hachée
1 tasse (250 ml) de vin rouge fruité ou de vin blanc sec
2 boursins
1 tasse (250 ml) de crème 35 %

Enlevez la membrane nerveuse de vos filets de porc, puis coupez-les en deux. Aplatissez-les en médaillons et badigeonnez-les d'épices (cerfeuil, thym, sel et poivre). Dans une poêle, faites blondir 1 c. à soupe (15 ml) de beurre et saisissez les médaillons à feu vif. Dès qu'ils sont bien dorés, retirez-les de la poêle et mettez-les de côté.

Dégraissez. Faites fondre 1 c. à soupe (15 ml) de beurre et faites-y revenir les échalotes. Déglacez avec le vin de votre choix. Laissez réduire de moitié, puis incorporez un boursin. Remuez et laissez mijoter quelques minutes. Incorporez ensuite la crème. Remettez les médaillons de porc dans la poêle et laissez cuire de 8 à 10 minutes, à feu moyen et à couvert.

Retirez les médaillons, disposez-les dans des assiettes, recouvrez-les de tranches du second boursin, nappez de sauce et servez chaud.

 Vin rouge fruité; vin blanc sec.

* * *

 **COTTAGE**

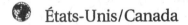 Pâte fraîche

🌐 États-Unis/Canada

Le fromage cottage est mou, blanc, laiteux et de type caillé (granuleux), ce qui lui donne son goût légèrement acide et crémeux. Fabriqué à partir du lait de vache, son prix est très abordable sur tout le marché nord-américain. Il se marie très bien avec toutes sortes d'aliments comme le thon, les asperges ou les légumes crus finement hachés. On peut en faire des trempettes, ou tout simplement le savourer avec des moules et des craquelins.

COTTAGE AUX FRUITS ET AU MOUSSEUX
(pour 4 personnes)

1 1/2 tasse (375 ml) de fromage cottage
1/4 de tasse (60 ml) de sucre
1/2 tasse (125 ml) de fraises fraîches, coupées
1/2 tasse (125 ml) de bleuets frais
1 tasse (250 ml) de champagne mousseux
4 fraises entières pour la décoration
8 feuilles de menthe fraîche
4 coupes à champagne

Dans un bol, mélangez le fromage cottage et le sucre. Incorporez les fruits et mélangez doucement avec un peu de mousseux. Divisez ce qui reste de champagne au fond des 4 coupes. À la cuillère, déposez les fruits enrobés dans les coupes de façon égale. Décorez d'une fraise et de deux feuilles de menthe fraîche.

 Champagne; vin mousseux fruité.

$$* * *$$

 MYTZITHRA

 Pâte fraîche

 Crète (Grèce)

Ce fromage, crémeux et ferme, est fabriqué à partir de lait de chèvre et de brebis que l'on suspend dans des sacs de jute blanche à des branches d'olivier, le temps de l'égouttage et du séchage. D'une blancheur laiteuse et d'un goût salé, frais, épicé, un peu piquant, corsé et acidulé, ce fromage, une fois vieilli et séché, convient parfaitement aux gratins. De nos jours, en Amérique du Nord, le mytzithra est fabriqué à partir de lait de vache, et si sa saveur particulière est quelque peu différente, son petit goût d'origine demeure. En outre, on en trouve également en pâte demiferme; sa saveur est alors un peu plus douce et, surtout, moins salée.

SALADE AU MYTZITHRA (pour 4 personnes)

1/4 de tasse (60 ml) d'huile d'olive
1 c. à soupe (15 ml) d'épices grecques mélangées
1 c. à thé (5 ml) d'anchois hachés
1/2 tasse (125 ml) de vinaigre de vin
1/4 de tasse (60 ml) de fromage parmesan
1 1/2 tasse (375 ml) de fromage mytzithra coupé en cubes
2 tasses (500 ml) de feuilles d'épinard, lavées et égouttées
2 tasses (500 ml) de laitue trévise en feuilles
2 tasses (500 ml) de laitue romaine déchiquetée
2 tasses (500 ml) d'endives coupées en lanières
1 tasse (250 ml) d'olives noires dénoyautées
sel et poivre au goût

Dans un bol, mêlez l'huile, les épices grecques, les anchois, le vinaigre de vin. Salez et poivrez. Mélangez bien, puis incorporez le fromage parmesan.

Dans un autre bol, mêlez les salades et le mytzithra, arrosez de la vinaigrette et parsemez d'olives noires. Mêlez le tout délicatement.

 Vin rouge corsé.

NEUFCHÂTEL

 Pâte fraîche

 Canada

Le neufchâtel que l'on trouve en Amérique du Nord n'a que le nom de son cousin français qui, lui, s'apparente beaucoup plus au brie ou au camembert. Ce fromage, dont la teneur en matières grasses est moindre que celle de la plupart des autres fromages à la crème, est simple, velouté, léger, à la fois crémeux et ferme; il est souvent aromatisé d'herbes fraîches ou de poivre. Il est d'une saveur suave et moelleuse, légèrement acidulée et n'a pas de croûte. Il se sert très bien en début de repas, ou encore comme collation.

PAIN DE CAMPAGNE AU FROMAGE ET AU JAMBON
(pour 4 personnes)

4 tranches de pain de campagne
1 1/2 tasse (375 ml) de fromage neufchâtel
4 tranches de jambon fumé
1/2 tasse (125 ml) de ciboulette fraîche, hachée

Faites d'abord griller légèrement les tranches de pain. Étendez une couche de fromage sur chacune, une tranche de jambon et, de nouveau, du fromage. Saupoudrez de ciboulette.

Vous pouvez découper ces tranches en bouchées et les servir en entrée, ou alors les laisser entières et les déguster comme repas léger.

Bière brune forte.

PETIT SUISSE OU CRÈME SURE

 Pâte fraîche

France

La fabrication de ce fromage double et même triple crème, frais et doux, se fait à partir de lait de vache. Très crémeux, blanc, onctueux, de acidulé à moyennement acidulé, il peut être aromatisé d'épices, de fines herbes fraîches ou encore de sucre, de confiture et de fruits frais. Il peut aussi, bien entendu, être offert nature. D'apparence ferme, il n'est pas, comme ses homologues, de texture granuleuse; il a un peu la saveur d'une crème fouettée épaisse. Il est généralement offert en contenants de plastique ou en petits cylindres.

COUPE DE FRUITS FRAIS AU FROMAGE BLANC
(pour 4 personnes)

2 tasses (500 ml) de fromage blanc
1 1/2 tasse (375 ml) de sucre
3 tasses (750 ml) de fruits frais mélangés (fraises, framboises, kiwis, bleuets, etc.)
1 tasse (250 ml) de noix mélangées
8 feuilles de menthe fraîche

Dans un bol, mélangez bien le fromage et le sucre. Incorporez ensuite, délicatement, les fruits en en conservant quelques-uns pour la décoration. Versez dans des coupes, parsemez de noix hachées, déposez quelques fruits frais sur le dessus et piquez, sur le bord de chaque coupe, deux feuilles de menthe fraîche.

 Champagne.

* * *

 QUARK

 Pâte fraîche

🌐 Pyrénées (France)

Le quark est un fromage à la crème, blanc, très crémeux, velouté, légèrement acide au goût et qui donne une impression de fraîcheur sur le palais. Fait de lait de vache, il est léger et se sert avec différents mets tant salés que sucrés, ce qui le rend d'une grande utilité dans les préparations culinaires.

ESCALOPES DE VEAU AU QUARK ET AUX KIWIS
(pour 4 personnes)

4 escalopes de veau frappées
1 c. à soupe (15 ml) de beurre
1 c. à soupe (15 ml) d'échalote hachée
1/2 tasse (125 ml) de vin blanc sec
1 tasse (250 ml) de fromage quark
1/2 c. à thé (2,5 ml) de basilic haché
2 kiwis pelés et tranchés
sel et poivre
1 branche de persil

Dans une poêle, faites blondir le beurre et faites-y revenir les escalopes salées et poivrées. Retirez la viande et mettez de côté.

Dégraissez la poêle, ajoutez les échalotes et déglacez avec la moitié du vin blanc. Laissez réduire un peu, puis incorporez le fromage et le basilic.

Remettez les escalopes dans la sauce avec le reste du vin blanc et laissez cuire environ 5 minutes.

Retirez de nouveau les escalopes, déposez-les dans des assiettes. Mettez les kiwis dans la sauce, réchauffez 2 minutes et nappez les escalopes de cette sauce. Décorez avec des touffes de persil et servez.

 Vin blanc sec.

* * *

 RICOTTA

 Pâte fraîche

🌍 Italie du Sud

Le ricotta est un fromage blanc, crémeux et riche, à saveur légèrement acidulée et douce, et à l'aspect de fromage caillé. D'une légèreté sans égale, il est beaucoup plus fin et délicat, tant dans son allure que dans son goût, que son semblable, le fromage cottage. Il est d'un usage intéressant dans de nombreux mets, par exemple les manicottis farcis, qui demandent ce genre de fromage à texture un peu grumeleuse. Non salé, le ricotta est un ingrédient fort utilisé en cuisine italienne. Généralement fabriqué à partir de lait de vache, il peut toutefois être aussi produit à partir de lait de brebis ou parfois même, moitié l'un, moitié l'autre. On trouve également, sur le marché, du fromage ricotta pressé: un coup séché, il remplace avantageusement d'autres fromages râpés à gratin. Comme tous les fromages à pâte fraîche, le ricotta est hautement périssable.

ÉPINARDS AU RICOTTA (pour 4 personnes)

1 c. à soupe (15 ml) de beurre
8 tasses (2 litres) d'épinards lavés et mesurés tassés
2 échalotes françaises, finement hachées
1 c. à soupe (15 ml) d'origan frais, haché
1 c. à thé (5 ml) d'ail haché
sel et poivre
1 tasse (250 ml) de vin blanc, fruité et doux
1/4 de tasse (60 ml) de crème 35 %
2 tasses (500 ml) de ricotta

Dans une casserole, faites fondre le beurre à feu doux. Ajoutez les épinards, les échalotes, l'origan, l'ail, du sel et du poivre. Faites cuire une dizaine de minutes. Égouttez et mettez de côté.

Remettez la casserole sur le feu et faites-y réduire de moitié le vin blanc et la crème. Ajoutez le ricotta, incorporez les épinards et faites réduire de nouveau jusqu'à ce qu'il ne reste qu'un minimum de liquide.

Servez comme légumes d'accompagnement à des grillades ou farcissez-en des fajitas, des croissants ou des petits pains au sésame, grillés. Vous pouvez également vous en servir pour faire des crêpes farcies, roulées et gratinées avec une sauce béchamel recouverte de fromage mozzarella.

 Vin blanc fruité, doux.

* * *

 TUMA

 Pâte fraîche

Sicile

Importé ici, au Canada et aux États-Unis, dans les années 40 par les immigrants siciliens, le tuma, fromage blanc et sans croûte, était originellement fabriqué à partir de lait de chèvre ou de brebis. Cependant, depuis quelques années, on en trouve à base de lait de vache, bien que la *version* originale soit encore vendue dans les magasins spécialisés, au rayon ou aux comptoirs d'importation. Cela dit, sa nouvelle formule est toutefois très appréciée avec, dans la pâte, un goût que l'on pourrait qualifier de printanier. De texture un peu plus ferme que le ricotta, le tuma, frais et velouté, demeure tout de même un fromage toujours doux, crémeux et d'un aspect laiteux. Il s'offre aussi très bien au dessert.

ASPERGES AU TUMA (pour 4 personnes)

16 grosses asperges fraîches et bien vertes
1 c. à thé (5 ml) de beurre
1/2 c. à thé (2,5 ml) de cerfeuil
1/2 tasse (125 ml) de champagne brut
1/2 tasse (125 ml) de crème 35 %
1 tasse (250 ml) de tuma émietté
sel et poivre

Pelez et équeutez vos asperges. Remplissez à moitié une casserole d'eau et portez à ébullition. Déposez-y les asperges ficelées en bouquets de 4, réduisez le feu à moyen, et laissez cuire de 8 à 10 minutes. La durée de cuisson dépend bien sûr de la grosseur des asperges.

Dans une autre casserole, faites fondre le beurre; ajoutez le cerfeuil et mouillez avec le champagne. Laissez réduire légèrement, puis incorporez la crème et le fromage. Laissez réduire de nouveau. Salez et poivrez au goût.

Déposez les asperges égouttées dans un plat allant au four. Laissez-les en bouquets. Nappez de sauce et réchauffez quelques minutes au four si nécessaire.

 Champagne brut.

LES PÂTES MOLLES

La catégorie des pâtes molles se subdivise en deux sous-catégories: les croûtes fleuries et les croûtes lavées.

Les croûtes fleuries, d'abord. Ce type de pâte tire son nom de sa croûte duveteuse et veloutée — sa *fleur* — qui doit sa formation à l'action du *penicillium candidum* avec lequel il est en quelque sorte ensemencé, en même temps que se fait le salage, c'est-à-dire immédiatement après une très brève période de caillage qui ne dure qu'une ou deux heures. Son taux d'humidité se situe aux alentours de 50 %, tandis que son taux de matières grasses oscille entre 20 % et 30 %. Caillée, salée, ensemencée, cette pâte n'est toutefois ni pressée ni cuite avant l'affinage. Celui-ci se fait d'ailleurs de l'extérieur du fromage — là où est uniformément répandu le *penicillium* — vers l'intérieur.

Un fromage à pâte fleurie dont le cœur est encore dur, granuleux ou plâtreux, est insuffisamment affiné, car la pâte fleurie parfaite a une texture homogène, souple, légèrement élastique, veloutée, moelleuse, onctueuse; elle n'est ni âcre ni fielleuse. Elle est jaune pâle, légèrement salée, suave et douce, et elle exhale un arôme — plus ou moins prononcé selon la variété — qui évoque un peu celui des champignons. Sa croûte est veloutée, tomenteuse, de blanche à blanchâtre.

La durée de conservation de ces fromages est courte, car ils sont hautement périssables. Bien entendu, le degré de fermentation du fromage, au moment de l'achat, est un facteur d'importance, mais disons que, de façon générale, le fromage à pâte fleurie ne se conserve pas plus que quatre jours au réfrigérateur, et ce, dans les meilleures conditions d'emballage et de réfrigération. Un fromage qui dégage une odeur rance ou un relent d'ammoniac est trop vieux, excessivement fermenté, dont la date limite de consommation est très certainement expirée.

Les pâtes lavées se caractérisent pour leur part par leur saveur plus ou moins épicée ou fruitée, qu'elles doivent aux fréquents brossages et lavages qu'on leur administre tout au long du processus d'affinage. Ces lavages, tantôt exécutés à l'eau salée, tantôt au vin additionné d'épices, tantôt à l'eau-de-vie, à la bière ou à d'autres alcools, sont très nombreux tout au long de la période de fermentation, qui peut aller de deux à six mois selon la variété; ils ont pour but non seulement d'aromatiser la pâte, en lui conférant par conséquent son originalité, mais également d'entretenir et de préserver son humidité et sa souplesse.

Avec ces multiples frictions, lessivages et brossages, la croûte acquiert un fini poli, soyeux, dont la teinte se situe entre le jaune paille et le rouge lie-de-vin, en passant par la gamme des orangés. La teinte varie selon la variété du fromage et, surtout, selon la solution avec laquelle la pâte a été badigeonnée.

Les pâtes lavées sont des pâtes souples dont la texture crémeuse ressemble à celle des croûtes fleuries, mais en plus humide et plus aromatique. Fleurie ou lavée, la croûte ne doit jamais être collante ou visqueuse, ni déformée ni rabougrie; elle ne doit pas non plus présenter de pigmentation sombre.

La principale difficulté pour le novice ou pour le consommateur inexercé qui désire se procurer un fromage à pâte molle, c'est généralement sa difficulté à deviner la texture intérieure du fromage, juste au toucher.

Voici les conseils que prodigue Barbara Ensrud dans son ouvrage *Le guide des fromages:* «Les fromages à pâte molle fermentée sont faits lorsque leur masse remplit bien la croûte et leur pâte est souple au toucher [...] Si le centre comporte une ligne blanche plâtreuse, le fromage peut être bon, mais il n'a pas suffisamment fermenté. Prenez garde aux croûtes poisseuses, à une coloration foncée, à une odeur d'ammoniac ou à une couleur excessive, ce sont là de fortes indications que le fromage est passé.»

La durée de conservation des croûtes lavées est la même que celle des croûtes fleuries. J'aimerais simplement rajouter, en terminant, qu'il est toujours préférable — pour éviter les mauvaises surprises — de goûter avant d'acheter.

Les pâtes molles peuvent se congeler, mais le temps de congélation ne doit pas excéder trois semaines, sans quoi le fromage perd à peu près toute sa saveur.

* * *

 BRIE

Pâte molle (croûte fleurie)

France

Il existe de très nombreuses variétés de fromage brie. Le brie est pourvu d'une croûte blanche, comestible, molle et veloutée. Parvenu à maturité, ce fromage, fait de lait de vache, est souple, crémeux, raffiné, mi-ferme, mi-fort, avec une note un peu sauvage. Sa pâte va de jaune très pâle à jaune paille; il ne doit pas être trop coulant, bien que certaines personnes le préfèrent ainsi. Plus il est jeune, plus il est ferme. C'est un fromage qui se trouve généralement, en fin de repas, sur la table de tous les amateurs de fromages. Puisqu'il est hautement périssable, il ne faut pas l'acheter d'avance.

FILETS DE PLIE AU BRIE (pour 4 personnes)

1 c. à soupe (15 ml) de beurre
4 filets de plie
1/2 tasse (125 ml) de vin blanc ou de bière blonde
1/2 tasse (125 ml) de crème 35 %
1 c. à thé (5 ml) de sarriette
1/2 tasse (125 ml) de brie en morceaux

4 tranches de brie
1 branche de fenouil
sel et poivre

Dans une poêle, faites blondir le beurre et faites-y griller les filets de plie préalablement salés et poivrés. Retirez et gardez au chaud.

Prenez la même poêle et versez-y le vin blanc (ou la bière), ajoutez la crème, la sarriette et le brie en morceaux. Remuez jusqu'à ce que le fromage soit fondu.

Disposez vos filets de poisson dans des assiettes, recouvrez chacun d'une tranche de brie, nappez de sauce chaude et décorez de fenouil.

 Vin blanc doux; bière blonde douce.

* * *

 CAMEMBERT

 Pâte molle (croûte fleurie)

🌐 France

Tout comme le brie, le camembert se présente dans une douzaine de variétés. Le plus connu est un camembert fait de lait de vache qui vient de la région de Normandie, en France. D'aspect velouté, le camembert a une croûte ferme, tandis que sa pâte, jaune crème, est douce, souple, onctueuse, crémeuse et ferme à la fois. Au meilleur de sa maturation, le camembert a une saveur riche, douce, raffinée, délicate, un peu salée, rarement prononcée ou corsée. Dès qu'il est trop fermenté, le camembert devient coulant et se charge d'amertume et d'une odeur d'iode ou d'ammoniac. Au même titre que le brie, il est un classique du plateau de fromages en fin de repas. On s'accorde habituellement à dire que la fermentation du camembert cesse presque complètement dès qu'il est coupé.

OMELETTE AU CAMEMBERT (pour 4 personnes)

8 œufs
2 échalotes hachées
1/2 tasse (125 ml) de crème 15 %
1/2 c. à thé (2,5 ml) de coriandre
sel et poivre
1 c. à soupe (15 ml) de beurre
1 1/2 tasse (375 ml) de camembert en petits cubes

Dans un bol, fouettez les œufs avec les échalotes, la crème, la coriandre, le sel et le poivre. Faites ensuite blondir le beurre dans une poêle et versez-y le mélange d'œufs. Fouettez légèrement. Laissez cuire au degré désiré, puis déposez les cubes de camembert sur une moitié de l'omelette. Pliez en deux et chauffez à four moyen pendant 6 à 8 minutes. Servez chaud.

 Vin rouge corsé ou sec; bière blonde forte.

* * *

LANGRES

 Pâte molle (croûte lavée)

France

Le langres est un fromage à odeur forte. Sa croûte est d'un blanc cassé, tandis que sa pâte est jaune foncé. Sa saveur est très prononcée et un peu acidulée. Fait de lait de vache, le langres est à la fois ferme et crémeux et, pour être juste à point, il doit avoir légèrement fermenté. Cependant, s'il dépasse un certain degré de maturation, il dégage une odeur extrêmement forte qui frise la puanteur. Un fromage passé se reconnaît d'ailleurs à l'odeur forte d'ammonic qui s'en dégage.

FEUILLETÉ DE LANGRES AU CONFIT DE TOMATES ET D'OIGNONS (pour 4 personnes)

8 tomates moyennes, coupées en petits dés
2 oignons coupés en petits dés
2 c. à soupe (30 ml) de sucre
2 c. à soupe (30 ml) de beurre
2 c. à soupe (30 ml) de basilic frais
1 gousse d'ail hachée
2 plaques de pâte feuilletée (plaques veut dire «feuille») de
    8 oz (225 g) chacune ou 1 plaque de 16 oz (450 g)
3 tasses (750 ml) de fromage langres en lanières
1 jaune d'œuf
sel et poivre

Dans une casserole, faites revenir, dans 1 c. à soupe (15 ml) de beurre, l'oignon, le basilic et l'ail. Laissez blondir, puis incorporez les tomates. Laissez mijoter, puis ajoutez le sucre, le sel et le poivre. Laissez réduire du quart. Retirez du feu et mettez de côté pour faire refroidir.

Graissez ensuite une plaque à biscuits et couvrez-en le fond d'une plaque de feuilletage. Couvrez cette feuille de votre mélange refroidi, parsemez de fromage et recouvrez de la seconde plaque de pâte feuilletée. Badigeonnez avec le jaune d'œuf.

Découpez ensuite une fois, au centre, dans le sens de la longueur; une fois, au centre dans le sens de la largeur et découpez de nouveau chaque partie en deux, en diagonale. À l'aide d'une fourchette, scellez les bords de toutes les portions.

Faites cuire au four à 400 °F (200 °C) pendant environ 25 minutes. Servez en entrée ou comme plat principal accompagné d'une salade.

 Vin blanc, genre pinot; vieux rouge du terroir.

* * *

LIMBURGER

 Pâte molle (croûte lavée)

🌐 Belgique

La couleur de la croûte, toujours légèrement humide, de ce fromage est celle d'un ciel au coucher du soleil. La pâte, truffée ici et là de quelques trous, est moelleuse et tendre, et de couleur blanc jaunâtre. Fait de lait de vache, le goût du limburger est très fort, poivré, piquant, évoquant un peu la saveur du gibier. Prince de l'odeur, la renommée de l'arôme, parfois asphyxiante, de ce fromage — pas recommandé du tout aux personnes à l'odorat fragile et sensible! — n'est plus à faire.

FILETS DE PORC FARCIS AU LIMBURGER
(pour 4 personnes)

2 filets de porc
1 tasse (250 ml) de limburger en petits cubes
6 tranches de limburger
2 tasses (500 ml) de mie de pain de campagne
1/4 de tasse (60 ml) de lait
1 œuf
1 oignon haché
1 c. à soupe (15 ml) de coriandre fraîche, hachée
2 c. à soupe (30 ml) de beurre
sel et poivre
1 tasse (250 ml) de sauce aux prunes
1 tasse (250 ml) de vin blanc

Enlevez la membrane nerveuse de vos filets de porc, puis tranchez chacun en trois, dans le sens de la longueur pour obtenir des filets aussi minces que des feuilles. Aplatissez-les au maximum.

Fouettez très légèrement l'œuf dans le lait et faites-y tremper la mie de pain. Ajoutez l'oignon, la coriandre, le sel et le poivre. Incorporez le fromage en cubes et mélangez bien. Garnissez l'intérieur de vos filets de porc de ce mélange, couvrez de minces tranches de limburger, roulez serré et ficelez fermement.

Déposez vos roulés dans un plat allant à la fois au four et sur la cuisinère, et mettez-les à rôtir avec un peu de beurre, du sel et du poivre. Cuisez de 40 à 50 minutes (selon la grosseur des filets) à 400 °F (200 °C). Retirez vos filets de porc et gardez-les au chaud. Dégraissez, déglacez au vin blanc, puis ajoutez la sauce aux prunes. Fouettez, incorporez une noix de beurre afin de rendre la sauce encore plus onctueuse, disposez les filets dans les assiettes, nappez de sauce et servez chaud.

 Vin blanc sec et légèrement fruité.

* * *

 LIVAROT

 Pâte molle (croûte lavée)

France

Le livarot est un fromage à odeur forte et au goût corsé. Fait de lait de vache, sa robe est orange foncé et sa pâte est ferme et crémeuse. Raffiné, il laisse en bouche un arrière-goût épicé qui, de l'avis des amateurs, n'est pas méchant du tout! Il faut tout simplement arriver à passer outre l'odeur importune de sa croûte. C'est le fromage que l'on sert souvent avec le trou normand, en plein milieu d'un repas plantureux, afin de favoriser une digestion rapide.

FETTUCCINIS AU LIVAROT, FAÇON NORMANDE
(pour 4 personnes)

1 paquet de fettuccinis
2 tasses (500 ml) de crème 35 %
2 échalotes hachées
2 pommes en quartiers minces
1 tasse (250 ml) de calvados
2 tasses (500 ml) de livarot en petits cubes
1 c. à soupe (15 ml) de beurre
sel et poivre

Faites cuire les fettuccinis *al dente*, égouttez et mettez de côté.

Dans une casserole, faites fondre la moitié du beurre et, à feu très doux, faites-y revenir les échalotes et les pommes. Déglacez au calvados. Ajoutez la crème, un peu de poivre et laissez réduire légèrement. Incorporez le fromage, salez et mêlez jusqu'à ce que le fromage soit fondu. Ajoutez les pâtes et le reste du beurre. Laissez chauffer et servez.

 Calvados; vin blanc corsé.

* * *

MAROILLES

 Pâte molle (croûte lavée)

France

Fabriqué à partir de lait de vache, le maroilles, cousin du livarot, camoufle sous sa croûte orangée (badigeonnée de bière brune forte au cours de l'affinage) une pâte jaune, crémeuse et tendre à saveur forte et corsée. Cependant, il faut arriver, tout comme pour le livarot, à passer outre l'odeur de la croûte... qui ne rend pas véritablement hommage à la saveur de ce fromage.

SALADE CROQUANTE AU MAROILLES
(pour 4 personnes)

1 tasse (250 ml) de haricots verts, cuits *al dente*
1 tasse (250 ml) de poivrons rouge coupés en cubes
1 tasse (250 ml) de céleri coupé en petits dés
1 tasse (250 ml) de concombre coupé en demi-tranches
2 tasses (500 ml) de laitue romaine ciselée
2 tasses (500 ml) de laitue trévise en feuilles
1 tasse (250 ml) d'endives en feuilles
2 c. à soupe (30 ml) de moutarde de Dijon
2 tasses (500 ml) de fromage maroilles en gros cubes
1 gousse d'ail hachée
3 c. à soupe (45 ml) de vinaigre de vin rouge
1 tasse (250 ml) d'huile d'olive
1 jaune d'œuf
2 c. à soupe (30 ml) de cerfeuil frais en feuilles
sel et poivre

Commencez par faire votre vinaigrette. Dans un bol, mettez le jaune d'œuf, la moutarde, l'ail, le sel et le poivre. Fouettez en incorporant l'huile tout doucement. D'abord goutte à goutte, puis plus rapidement sans cesser de fouetter.

Dans un plat creux, déposez les feuilles d'endives tout autour du plat, puis les feuilles de trévise au fond, la laitue romaine par-dessus et, finalement, les haricots verts, les poivrons, les tranches de concombre et le céleri. Parsemez le fromage sur le tout. Nappez de vinaigrette et saupoudrez de cerfeuil frais, haché.

 Vin rouge corsé; bière brune forte.

* * *

 MUNSTER DES VOSGES

 Pâte molle (croûte lavée)

Alsace

Le munster, un fromage créé par des moines bénédictins, est un produit que l'on peut incontestablement classer dans les fromages forts. Sous sa croûte lavée, couleur de soleil, ce fromage à pâte dorée et plutôt épaisse a un goût prononcé et légèrement épicé. Fait de lait de vache, son parfum est puissant et sa texture moelleuse. Un fromage qui a sans aucun doute du... caractère.

INVOLTINIS DE VEAU AU MUNSTER
(pour 4 personnes)

12 médaillons de veau bien frappés
12 tranches de jambon de Parme
12 tranches de munster
1 boîte (398 ml [14 oz]) de sauce brune
1 tasse (250 ml) de crème 35 %
1 c. à thé (5 ml) de basilic
1 c. à thé (5 ml) de sauge
1 échalote hachée
1 bière brune forte (12 oz [341 ml])
2 c. à soupe (30 ml) de beurre
sel et poivre
1 tasse (250 ml) de farine
12 cure-dents

Étalez les médaillons et déposez sur chacun une tranche de jambon et une tranche de fromage. Roulez et piquez avec un cure-dent. Enfarinez les rouleaux et réfrigérez une quinzaine de minutes.

Dans une poêle, faites blondir 1 c. à soupe (15 ml) de beurre et faites-y dorer vos involtinis. Retirez de la poêle et gardez au chaud à four doux.

Dégraissez la poêle, puis, dans 1/2 c. à soupe (2,5 ml) de beurre, faites revenir l'échalote, le basilic et la sauge. Déglacez à la bière, ajoutez la sauce brune et la crème, salez et poivrez au goût, et laissez réduire. Fouettez le beurre restant dans la sauce.

Retirez vos involtinis du four, déposez-les dans la sauce et faites mijoter environ 5 minutes. Servez.

 Vin d'Alsace; bière brune ou blonde forte

* * *

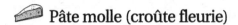 NEUFCHÂTEL (français)

 Pâte molle (croûte fleurie)

France

Le neufchâtel français, fait de lait de vache, est pourvu d'une croûte moelleuse et veloutée. D'aspect marbré orangé, ce fromage est onctueux, fondant, crémeux et légèrement salé. En fait, il est sensiblement de la même consistance que le brie (tendre et ferme à la fois) auquel, d'ailleurs, il s'apparente. Cependant, son goût est plus salin, évoquant un peu le goût du fromage de chèvre, quoiqu'en moins fort. Ce fromage peut être servi en entrée ou à la fin d'un repas pour accompagner une salade de fruits ou un bon café fort. Il est offert sous différentes formes, notamment la brique et le cylindre.

ESCARGOTS NEUFCHÂTEL (pour 4 personnes)

1 c. à soupe (15 ml) de beurre
24 escargots
1 c. à soupe (15 ml) d'estragon frais, haché
poivre du moulin
1 échalote hachée
1 bière brune douce

1 tasse (250 ml) de crème 15 %
1 tasse (250 ml) de fromage neufchâtel

Faites fondre le beurre dans un chaudron et faites-y revenir les escargots, l'estragon, le poivre et l'échalote. Déglacez à la bière et laissez réduire. Ajoutez la crème et laissez réduire de nouveau de moitié. Ajoutez le fromage. Remuez et servez.

 Vin rouge sec; bière brune douce.

 PONT-L'ÉVÊQUE

 Pâte molle (croûte lavée)

France

La saveur de ce fromage évoque les hautes terres. Il a une saveur très prononcée; il est frais et souple, riche et crémeux. Sa croûte est de couleur jaune foncé, tandis que sa pâte est dorée. Fait de lait de vache, il goûte le miel et la crème, malgré son odeur forte et son arôme légèrement acide. Il existe différentes sortes de pont-l'évêque. Le plus connu est aussi l'original et, comme tant d'autres produits, sa saveur originale, bien qu'elle soit souvent imitée, n'est jamais égalée.

PÉTONCLES AU COULIS DE POIVRONS, DE POIREAUX ET DE PONT-L'ÉVÊQUE (pour 4 personnes)

3 tasses (750 ml) de pétoncles frais avec le corail
2 poivrons rouges, épépinés et finement hachés
1 tasse (250 ml) de verts de poireaux, hachés
2 tasses (500 ml) de pont-l'évêque en petits dés
2 tasses (500 ml) de cidre brut
1 échalote française, hachée
1/2 c. à thé (2,5 ml) d'origan frais, haché
1/2 c. à thé (2,5 ml) de persil frais, haché
2 c. à soupe (30 ml) de beurre
sel et poivre

Faites revenir les pétoncles dans une poêle avec 1 c. à soupe (15 ml) de beurre, l'échalote, l'origan, le persil, le sel et le poivre jusqu'à ce qu'ils soient bien dorés. Retirez les pétoncles et gardez au chaud.

Jetez le gras de la poêle en en conservant juste assez pour faire sauter les poivrons et les poireaux. Déglacez au cidre et passez au mélangeur pour faire une purée pas trop épaisse. Remettez dans la poêle, réchauffez, ajoutez 1 c. à soupe (15 ml) de beurre et fouettez.

Disposez les pétoncles dans les assiettes, recouvrez de fromage pont-l'évêque et nappez du coulis de poivrons.

 Cidre fort brut; vin rouge corsé.

* * *

REMOUDOU

Pâte molle (croûte lavée)

France

Le remoudou est un fromage fort dont l'odeur est très envahissante lorsqu'il est trop mature. Fait de lait de vache, il est ferme et mou, crémeux, d'un goût puissant et facilement reconnaissable pour qui l'a goûté une fois. Sa saveur distinguée n'a rien à voir avec sa puissante odeur.

FILOTINE DE REMOUDOU
AUX CHAMPIGNONS SAUVAGES
(pour 4 personnes)

1 paquet de pâte filo
1/2 tasse (125 ml) de beurre
2 tasses (500 ml) de cèpes et de morilles
1/2 tasse (125 ml) d'oignons émincés
1/2 c. à thé (2,5 ml) d'origan
1/2 c. à thé (2,5 ml) de basilic
1/2 tasse (125 ml) de cerfeuil frais, haché
2 tasses (500 ml) de champignons de Paris
1 gousse d'ail hachée
sel et poivre
3 tasses (750 ml) de remoudou en petits cubes
2 jaunes d'œufs

Pour commencer, vous devez faire tremper, pendant environ 1 heure, vos champignons secs. Dès qu'ils sont réhydratés, mettez-les à égoutter.

Dans une poêle, faites revenir l'oignon, l'origan, le basilic, le cerfeuil, les champignons de Paris et la gousse d'ail. Salez et poivrez. Dès que tout est à point, ajoutez les champignons sauvages et laissez réduire le liquide. Laissez ensuite refroidir le tout. Dès que ce mélange sera refroidi, incorporez-y les cubes de fromage.

Sur une plaque à biscuits graissée, déposez 6 feuilles de pâte filo en prenant soin de les badigeonner chacune de beurre fondu avant d'en déposer une autre dessus. Versez ensuite la moitié de votre mélange champignons-fromage et recommencez l'opération avec 6 nouvelles feuilles de pâte filo, en n'oubliant pas le beurre entre chacune. Versez le reste du mélange de champignons et recommencez une troisième fois avec 6 autres feuilles de pâte filo. Badigeonnez le dessus de la dernière feuille avec les jaunes d'œufs.

Cuisez au four à 475 °F (250 °C) de 20 à 25 minutes. Servez chaud.

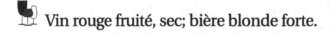 Vin rouge fruité, sec; bière blonde forte.

LES PÂTES DEMI-FERMES

La catégorie des pâtes demi-fermes se subdivise en trois groupes: les pâtes non affinées, les pâtes affinées dans la masse et les pâtes affinées en surface.

Les pâtes non affinées, communément appelées *pasta filata* (pâte filée), sont faites de lait qui a tout simplement été caillé, et dont le caillé a été égoutté. Le bloc de caillé est ensuite coupé et réchauffé; il subit alors un pétrissage, puis il est travaillé et étiré dans le lactosérum. Il est ensuite filé, — c'est là qu'il prend sa texture un peu fibreuse ou filandreuse — avant d'être moulé. À moins d'être fumée, la pâte de ce fromage est d'une saveur douce, neutre, très légèrement aromatique, souple, flexible, un peu élastique. La majorité des *pasta filata* sont d'origine italienne.

Les pâtes affinées dans la masse et les pâtes affinées en surface sont, elles, des pâtes qui sont mécaniquement pressées, pour en extraire le maximum de lactosérum et pour accélérer le processus d'égouttage. Elles sont cuites ou crues et affinées tantôt dans la pâte au complet, tantôt en surface, de l'extérieur vers l'intérieur. Certains de ces fromages ne développent aucune croûte, mais quand il s'en forme une, celle-ci est assidûment lavée et brossée afin d'éviter tout développement de moisissures ou d'autres bactéries. La saveur de ces fromages, dont la pâte se situe dans les teintes de jaune, est généralement douce et sobre, quoiqu'elle soit parfois plutôt aromatisée. Souple dans sa texture, la pâte demi-ferme est parfois compacte, parfois légère.

De façon générale, les pâtes demi-fermes ont une teneur en matières grasses qui va de 10 % à 30 % et un taux d'humidité qui se situe entre 35 % et 60 %; elles sont souvent plus tendres que fermes et un peu caoutchouteuses sous la dent.

Bien emballés, ces fromages se conservent plusieurs semaines au réfrigérateur (jusqu'à deux mois) et se congèlent plusieurs mois sans problème, sauf, bien entendu, les fromages en saumure tels que le feta, le trecce et le bocconcini.

* * *

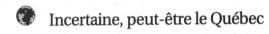 **ALPINA**

Pâte demi-ferme

Incertaine, peut-être le Québec

La pâte compacte du fromage alpina, fabriqué à partir de lait de vache, est de couleur ivoire; elle est souple, élastique et moelleuse, tendre et ferme à la fois. Sa saveur douce, délicate et crémeuse devient, au fur et à mesure que sa maturation avance, plus forte, plus parfumée et plus épicée.

MÉDAILLONS DE POMMES DE TERRE ALPINA
(pour 4 personnes)

2 tasses (500 ml) de purée de pommes de terre (ferme)
1 1/2 tasse (375 ml) de fromage alpina râpé
2 œufs
1/2 tasse (125 ml) de crème 35 %
1/2 c. à thé (2,5 ml) de muscade
1/2 tasse (125 ml) de gingembre frais, râpé
sel et poivre
1 tasse (250 ml) de farine
2 c. à soupe (30 ml) de beurre

Dans un bol, mélangez la purée, le fromage, 1 œuf, la crème, le gingembre, la muscade, le sel et le poivre. Façonnez en 4 médaillons. Passez-les ensuite dans la farine, puis dans 1 œuf battu et faites-les dorer à la poêle, dans un peu de beurre fondu. Servez comme légume d'accompagnement.

 Vin blanc sec; bière blonde douce.

BOCCONCINI

Pâte demi-ferme (filée)

Italie

Fabriqué à partir de lait de vache, le bocconcini, le plus petit des fromages à pâte filée, en forme de petites boules, est un fromage mariné dans de l'eau salée. Certaines personnes disent de ce fromage blanc à consistance moelleuse, légèrement élastique et ferme, qu'il est fade. Et c'est vrai. L'avantage de cette absence de goût est que l'on peut apprêter ce fromage de nombreuses façons et qu'il prend la saveur de n'importe quelle marinade dans laquelle il baigne. De texture moins fibreuse que d'autres pâtes de la même famille, il est plutôt ferme et lisse, quoique spongieux.

SALADE DE FRUITS AU GINGEMBRE ET AU BOCCONCINI (pour 4 personnes)

2 pommes épépinées, coupées en quartiers et arrosées
   de jus de citron
1 grappe de raisins rouges, coupés en deux
1 grappe de raisins verts, coupés en deux
2 oranges pelées et défaites en quartiers
2 poires épépinées et coupées en quartiers
1 tasse (250 ml) de cerises dénoyautées et coupées en deux
1 tasse (250 ml) de fraises, coupées en deux
sel
1/4 de tasse (60 ml) de jus de citron
1 tasse (250 ml) de champagne doux

1/4 de tasse (60 ml) de gingembre râpé, frais
2 tasses (500 ml) de bocconcini tranché

Préparez les fruits. Déposez-les tous dans un grand bol. Mélangez avec le sel, le jus de citron, le champagne et le gingembre. Incorporez le fromage et servez.

 Vin fruité; mousseux ou champagne doux.

* * *

 BURRINI

Pâte demi-ferme (affinée dans la masse)

Italie

Ce fromage piriforme, fait de lait de vache, possède une croûte jaunâtre, légère et lisse, sous laquelle on trouve une pâte ferme, serrée et filandreuse, couleur paille; son cœur mou, moelleux et doux est constitué d'une boule de beurre dont la taille varie de 2,5 cm à 5 cm; en conséquence, le burrini a le parfum et la saveur du beurre fermier.

TRANCHES DE PAIN AU BURRINI (pour 4 personnes)

12 tranches de pain de campagne
12 tranches de burrini
12 tranches de jambon fumé
2 pincées de girofle moulu
2 c. à soupe (30 ml) de coriandre fraîchement hachée
1/4 de tasse (60 ml) de beurre

Beurrez les tranches de pain et saupoudrez très légèrement de girofle. Déposez-y ensuite le jambon, puis le fromage. Saupoudrez de coriandre et passez au four à 375 °F (190 °C) une quinzaine de minutes.

Coupez en deux et servez comme en-cas, comme entrée ou comme repas léger et vite fait.

 Vin rouge sec; vin blanc sec.

* * *

 CACIOTTA

Pâte demi-ferme (filée)

Italie

À l'origine, le véritable caciotta était fabriqué à partir de lait de brebis et sa saveur était beaucoup plus corsée que celui que l'on trouve aujourd'hui et qui est fabriqué à partir de lait de vache. Moins filandreux que ses cousins, ce fromage, de couleur paille, est légèrement crémeux — quoique ferme — et d'une saveur plutôt neutre. Avec ou sans croûte, en forme de cylindre, rond ou ovoïde, il est doté d'une pâte élastique, souple et tendre, à saveur douce de beurre frais — une saveur unique et tout à fait rafraîchissante et délicieuse.

RAMEQUINS DE BROCOLI AU CACIOTTA
(pour 4 personnes)

2 pieds de brocoli défaits en petits bouquets
4 tasses (1 litre) de sauce béchamel à la muscade
   (voir ci-dessous)
2 tasses (500 ml) de caciotta râpé
1 pincée de girofle moulu
1 pincée de coriandre moulue
2 œufs
1 c. à soupe (15 ml) de beurre
sel et poivre

Cuisez les petits bouquets de brocoli *al dente*. Égouttez-les et versez-les dans les 4 ramequins, préalablement beurrés.

Dans un bol, fouettez la béchamel avec les œufs, le fromage, le girofle et la coriandre. Versez sur les brocolis et passez au four de 15 à 20 minutes à 375 °F (190 °C).

SAUCE BÉCHAMEL À LA MUSCADE (pour 1 litre)

2 oignons moyens hachés
10 c. à soupe (150 ml) de beurre ou de margarine
10 c. à soupe (150 ml) de farine
4 tasses (1 litre) de lait
sel et poivre au goût
2 c. à thé (10 ml) de muscade

Dans un chaudron, faites fondre le beurre (ou la margarine) à feu moyen et faites-y revenir les oignons jusqu'à ce qu'ils soient transparents. Ajoutez la farine et mélangez.

Réduisez le feu. Ajoutez le lait, la muscade, le sel et le poivre. Cuisez sans jamais cesser de brasser jusqu'à ce que la sauce atteigne le point d'ébullition. Retirez du feu sans laisser bouillir.

 Vin blanc ou rouge fruité; bière brune douce.

* * *

CASATA

🔲 Pâte demi-ferme (affinée dans la masse)

🌐 Italie

Le casata, qui s'apparente au gruyère, est un fromage de meule, à croûte légère, ténue et délicate; sa pâte ivoirine est tendre, souple et sa texture, élastique. Fabriqué à partir du lait de vache, il comporte des cavités inégales et désordonnées. Sa saveur va de moyen à fort.

AUBERGINES AU FONDANT DE COURGETTES
ET CRÈME D'AVOCATS AU CASATA (pour 4 personnes)

2 petites aubergines coupées en deux
4 belles courgettes coupées en dés
2 oignons finement hachés
1/4 de tasse (60 ml) d'estragon frais, haché
3 c. à thé (15 ml) de vinaigre de vin
1/4 de tasse (60 ml) de beurre
2 avocats hachés
1 tasse (250 ml) de crème 35 %
2 tasses (500 ml) de casata râpé ou en petits cubes

1 pincée de cannelle
1 pincée de safran
sel et poivre
1/2 tasse (125 ml) de vin rouge fruité

Coupez les aubergines en deux, dans le sens de la longueur. Creusez-en le centre, dans toute la longueur (réservez cette chair d'aubergine), déposez-les sur une plaque, salez-les et poivrez-les. Mettez au four à 375 °F (190 °C) pendant 15 minutes. Mettez de côté.

Dans une casserole, faites fondre une grosse noix de beurre et faites-y blondir les oignons et l'estragon. Incorporez les courgettes et laissez cuire à feu très doux (si le feu est trop fort, les courgettes deviennent amères). Ajoutez ensuite le vinaigre de vin et la chair d'aubergine hachée; salez et poivrez au goût, et répartissez ce mélange dans la cavité des aubergines.

Dans une autre casserole, faites fondre une noix de beurre et faites-y revenir les avocats avec la cannelle et le safran. Ajoutez le vin rouge et la crème. Remuez bien et laissez réduire un peu avant d'y ajouter le casata. Rectifiez l'assaisonnement, si nécessaire. Nappez les aubergines et passez-les au four à 375 °F (190 °C) de 20 à 25 minutes.

 Vin rouge ou blanc fruité.

* * *

FETA

Pâte demi-ferme

Grèce

Fabriqué à partir de lait de vache, de brebis ou de chèvre (ou une combinaison de ces laits), le fromage feta, qui se conserve mariné dans de l'eau salée, est un fromage friable qui s'émiette facilement. La plupart des fetas que l'on consomme en Amérique du Nord sont des fromages importés. De couleur blanc pur à ivoire, la riche pâte du feta a un goût fort, épicé, très prononcé, salé et un peu piquant. En saumure, il n'est nul besoin, pour le conserver, de le réfrigérer, mais il faut savoir que son goût salin augmente à mesure qu'augmente la période de macération.

SALADE GRECQUE (pour 4 personnes)

1 1/2 laitue romaine lavée et déchiquetée
1/4 de tasse (60 ml) de moutarde de Dijon
1 gousse d'ail hachée
1 échalote hachée
1/4 de tasse (60 ml) de câpres hachées
2 anchois hachés
1/2 tasse (125 ml) d'huile d'olive
1/4 de tasse (60 ml) de vinaigre de vin rouge
1 tasse (250 ml) d'olives grecques dénoyautées
1 1/2 tasse (375 ml) de feta en petits cubes
sel et poivre

Dans un bol, mettez d'abord la moutarde, l'ail, l'échalote, les câpres et les anchois. Fouettez avec l'huile.

Incorporez le vinaigre. Salez et poivrez au goût. Mélangez ensuite la salade à la vinaigrette en incorporant les olives et le feta.

 Vin blanc sec; vin rouge sec et légèrement corsé.

* * *

 FIOR DI LATTE

Pâte demi-ferme (filée)

Italie du Nord

Le fior di latte, dont la traduction française est «fleur de lait», est plus riche en matières grasses que le mozzarella. Sans croûte, il se présente sous forme de boules, plus grosses que celles du bocconcini, et est fabriqué à partir de lait de vache. Sa pâte, légèrement jaunâtre, presque blanche, est souple, élastique, ferme et d'un goût plus fort que le mozzarella. C'est un fromage qui est mis à mariner dans un petit lait chaud à plusieurs reprises — d'où sa saveur laiteuse — et qui est ensuite travaillé pour lui donner sa forme et sa texture. Fibreux, le fior di latte est excellent en entrée.

SUPRÊMES DE POULET AU FIOR DI LATTE
(pour 4 personnes)

2 suprêmes de poulet coupés en deux et aplatis
3 tomates fraîches, coupées en petits dés
3 c. à soupe (45 ml) de pâte de tomates
1/4 de tasse (60 ml) de basilic frais, haché
1/4 de tasse (60 ml) de vin blanc fruité

8 tranches de fior di latte (suffisamment grandes pour que 2 tranches couvrent les suprêmes de poulet)
1 oignon haché ou 2 échalotes hachées
3 c. à soupe (45 ml) de beurre
sel et poivre
1 tasse (250 ml) de farine
1 tasse (250 ml) de chapelure
2 œufs battus

Vous devez d'abord préparer la sauce. Dans une casserole, faites blondir une noix de beurre, puis jetez-y l'oignon haché (ou les échalotes) et le basilic. Faites revenir jusqu'à ce que le tout soit doré. Incorporez la pâte de tomates, les tomates, le sel et le poivre, et laissez mijoter de 15 à 20 minutes. Gardez cette sauce au chaud le temps de préparer vos suprêmes.

Passez tout d'abord les suprêmes dans la farine, puis dans les œufs et, enfin, dans la chapelure. Faites chauffer le beurre dans une poêle et faites-y griller les suprêmes de poulet. Disposez les filets dans un plat allant au four, nappez-les de sauce et déposez sur chacun 2 tranches de fior di latte. Arrosez de vin blanc et mettez au four à 375 °F ou 400 °F (190 °C ou 200 °C) de 25 à 30 minutes. Servez.

 Vin fruité; bière blonde douce.

* * *

 **HAVARTI**

pâte demi-ferme (moulée)

Danemark

Fabriqué à partir de lait de vache, le fromage havarti, avec ou sans croûte, est de couleur blanc cassé ou jaunâtre. C'est un fromage humide, fondant, parsemé de trous asymétriques, à la texture crémeuse, au goût raffiné, salé, souple et léger bien qu'un peu aigrelet. Son arôme évoque celui du beurre frais. Prenant de la force avec l'âge, sa saveur, lorsqu'il est jeune, est plus ou moins prononcée selon la durée et la technique d'affinage qu'on a utilisée pour sa fabrication. Le havarti est un fromage polyvalent qui possède la renommée des fromages suisses comme l'emmental.

FONDS D'ARTICHAUTS AU GRATIN DE HAVARTI
(pour 4 personnes)

12 fonds d'artichauts
2 tasses (500 ml) de tomates en petits cubes
2 échalotes hachées
2 gousses d'ail
1/4 de tasse (60 ml) de basilic frais
2 tasses (500 ml) de havarti râpé
1 tasse (250 ml) de vin blanc fruité
sel et poivre

Déposez les fonds d'artichauts dans un plat allant au four.

Dans un chaudron, faites fondre le beurre et faites-y revenir les échalotes, l'ail et le basilic. Ajoutez ensuite les tomates et le vin blanc, et laissez réduire. Versez sur les fonds d'artichauts et parsemez de fromage.

Cuisez au four à 375 °F (190 °C) de 25 à 30 minutes. Terminez quelques minutes à *broil.* Servez chaud.

 Vin blanc ou rouge fruité.

* * *

 MONTEREY JACK

Pâte demi-ferme (moulée)

Californie (États-Unis)

Vendu sous forme de brique, de cylindre ou de meule, le monterey jack est du même type que le cheddar américain (quoique son degré d'humidité soit plus élevé). Sa texture est ferme et sa couleur va de jaune paille à jaune foncé. Fabriqué à partir de lait de vache, quelquefois aromatisé de piment, il est généralement doux, voire presque insipide, mais une maturation prolongée peut le rendre noisetté, fort et piquant.

CÔTES DE BŒUF À LA MONTEREY
(pour 4 personnes)

4 côtes de bœuf (genre *rib steak*)
2 pincées de thym
4 échalotes hachées

2 tasses (500 ml) de vin rouge
1 boîte (398 ml [14 oz]) de sauce à bifteck
quelques gouttes de tabasco
quelques gouttes de sauce Worcestershire
sel et poivre
4 œufs
1/4 de tasse (60 ml) de beurre
8 tranches de monterey jack

Dans une poêle, avec une noix de beurre, faites griller les côtes de bœuf en les parsemant de thym, de sel et de poivre. Retirez de la poêle et gardez au chaud dans un plat allant au four.

Jetez le surplus de gras de la poêle, rajoutez une noix de beurre et faites revenir les échalotes. Déglacez au vin rouge et laissez réduire. Ajoutez la sauce à bifteck et remuez bien. Passez au tamis (ou à la passoire) et gardez au chaud.

Dans une noix de beurre, versez quelques gouttes de tabasco et quelques gouttes de sauce Worcestershire, et brouillez vos œufs.

Répartissez la sauce sur les côtes de bœuf, déposez sur chacune une tranche de fromage, répartissez ensuite les œufs brouillés, recouvrez d'une autre tranche de fromage et mettez le tout au four à 350 °F (175 °C), juste assez de temps pour que fonde le fromage.

 Vin rouge corsé; bière brune forte.

* * *

MOZZARELLA

🧀 Pâte demi-ferme (filée)

🌐 Italie

Sur commande, dans des magasins spécialisés dans les fromages importés, vous pouvez vous procurer le mozzarella original, c'est-à-dire celui qui, à l'instar de son cousin le scamorza, est fabriqué à partir de lait de bufflonne. La saveur de ce fromage original, bien sûr, est beaucoup plus corsée et donne un goût tout à fait spécial aux gratins. Quant à celui que l'on trouve dans nos supermarchés, il est fait de lait de vache. Fromage sans croûte, mou, blanc, filandreux, humide, non fumé, légèrement salé et léger au goût, c'est un classique des amateurs de pizza et un aliment passe-partout pour tout genre de collation!

GRATIN DE MOULES (pour 4 personnes)

4 lb (1,8 kg) de moules
4 échalotes hachées
1 pincée de thym
1 pincée de cerfeuil
1 pincée de muscade
2 tasses (500 ml) de vin blanc
sel et poivre
2 tasses (500 ml) de crème 35 %
2 tasses (500 ml) de mozzarella
2 c. à soupe (30 ml) de beurre

Dans une casserole, à couvert, déposez les échalotes, le thym, le cerfeuil, la muscade, le vin blanc et les moules.

Cuisez jusqu'à ce que s'ouvrent les moules (environ 7 minutes à partir de l'ébullition). Dès qu'elles sont cuites, retirez les moules, décortiquez-les et mettez-les de côté.

Faites un peu réduire le vin de cuisson, puis ajoutez-y la crème, un peu de sel et un peu de poivre. Laissez mijoter jusqu'à la consistance désirée, puis remettez les moules dans la sauce. Chauffez 5 minutes, puis divisez en 4 parts égales dans des plats à gratin. Parsemez de fromage et faites cuire au four à 400 °F (200 °C) 15 minutes.

 Vin blanc ou rouge fruité.

* * *

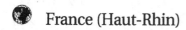 **MUNSTER**

Pâte demi-ferme (moulée)

France (Haut-Rhin)

Fabriqué en caissons de bois, à partir de lait de vache, ce type de munster a le même goût de terroir que son proche parent, le munster des Vosges. Sous une fine croûte orangée, il recèle une pâte couleur soleil, ferme, souple, lisse et fondante; il possède une saveur et un arôme raffinés, lactiques, très appréciés des amateurs de fromages.

CRÊPES FARCIES AUX ÉPINARDS ET AU MUNSTER
(pour 4 personnes)

8 crêpes de belle grandeur
2 lb (900 g) d'épinards équeutés et lavés

1 oignon haché
2 gousses d'ail finement hachées
1/4 de tasse (60 ml) de beurre
16 tranches de munster
sel et poivre
1 tasse (250 ml) de bière brune forte

Faites d'abord cuire les épinards en prenant soin de bien les égoutter dès qu'ils seront cuits.

Dans une casserole, faites fondre une noix de beurre et faites-y blondir l'oignon et l'ail. Ajoutez la bière et laissez réduire. Incorporez les épinards, enrobez-les, laissez chauffer quelques minutes, puis répartissez-les dans les crêpes en prenant soin de bien les égoutter. Vous devez conserver votre liquide de cuisson.

Sur les épinards, dans chaque crêpe, déposez une tranche de munster, roulez les crêpes et disposez-les soit dans des plats à gratin (2 par plat), soit dans un seul grand plat, côte à côte. Recouvrez chacune d'une tranche de munster et réservez.

Reprenez le liquide de cuisson des épinards et fouettez-y une noix de beurre pour rendre cette sauce plus onctueuse.

Mettez les crêpes au four à 475 °F (250 °C) juste le temps que fonde le fromage. Nappez de sauce à la bière et aux épinards, et servez.

 Vin du terroir, rouge ou blanc; bière brune forte.

 **OKA**

Pâte demi-ferme

Québec

Dans sa catégorie, fabriqué en meules, le oka, fromage de moine, est un grand fromage. Fait à partir de lait de vache, il a une saveur très particulière, où se combinent et se confondent le goût du beurre frais et celui, fin et délicat, de la noisette. Sous une croûte comestible, un peu salée, un peu granuleuse, lavée et brossée en cours de maturation, se cache une pâte jaune pâle, moelleuse, souple, tendre et ferme à la fois. Quand le oka devient presque orangé, c'est signe que sa maturation est avancée et que son goût est plus fort.

ÉMINCÉ DE VEAU OKA (pour 4 personnes)

4 tasses (1 litre) de veau émincé
3 oignons hachés finement
1 c. à thé (5 ml) de grains de poivre entiers
12 oz (341 ml) de bière brune forte
2 tasses (500 ml) de crème 35 %
sel et poivre
2 feuilles de laurier
1 branche de thym frais
2 tasses (500 ml) de fromage oka
1/4 de tasse (60 ml) de beurre
2 jaunes d'œufs au besoin

Dans une casserole, faites revenir, au beurre, le veau, l'oignon et le thym, le tout un peu poivré. Ajoutez la bière et laissez mijoter pour faire réduire un peu. Ajoutez ensuite la crème et le fromages, et mêlez bien. Ajoutez les feuilles de laurier et laissez mijoter une trentaine de minutes. Si la sauce ne vous paraît pas suffisamment épaisse, incorporez, en fouettant, deux jaunes d'œufs. Servez.

 Vin rouge corsé; vin blanc du terroir; bière brune forte.

* * *

 **SAINT-PAULIN**

Pâte demi-ferme (affinée dans la masse)

Bretagne (France)

Fabriqué à partir de lait de vache, ce fromage de moine est recouvert d'une croûte légère, jaune pâle ou blanche. Sa pâte, de couleur jaune clair, est tendre, fondante, veloutée, un peu moelleuse, bien qu'elle soit ferme, légèrement élastique et humide. Le saint-paulin est un fromage doux, à saveur subtile, légèrement aromatisé, très apprécié des connaisseurs, utilisé en cuisine et toujours de mise sur un plateau de fromages servi en fin de repas.

COQUILLES SAINT-JACQUES AU SAINT-PAULIN
(pour 4 personnes)

12 coquilles Saint-Jacques (moyennes) fraîches avec corail
3 pommes de terre moyennes, pelées
1 gousse d'ail hachée
2 échalotes sèches, émincées
2 pincées de muscade

1 tasse (250 ml) de vin blanc
1 tasse (250 ml) de crème 35 %
2 œufs
8 tranches de saint-paulin
1 tasse (250 ml) de chapelure
sel et poivre
1/4 de tasse (60 ml) de beurre

Coupez en deux vos noix de Saint-Jacques en gardant le corail entier. Salez-les, poivrez-les et sautez-les au beurre, dans une poêle. Gardez au chaud.

Coupez les pommes de terre en fines lamelles et, dans une poêle, faites-les sauter au beurre avec l'ail, les échalotes émincées, la muscade, un peu de sel et un peu de poivre. Versez-y ensuite le vin blanc et la crème, et laissez cuire. Incorporez les œufs. Mélangez doucement vos pommes de terre et les coquilles Saint-Jacques sans mettre le corail.

Remplissez les coquilles de ce mélange. Par-dessus, déposez le corail et le fromage. Saupoudrez de chapelure et passez au four à 375 °F (190 °C) de 15 à 20 minutes.

 Vin rouge fruité; vin blanc fruité.

* * *

SCAMORZA

Pâte demi-ferme (filée)

Incertaine, peut-être l'Italie

Ferme, filandreux et moelleux à la fois, le scamorza, un fromage à fumoir, dont la couleur va de jaune pâle à jaune foncé, est fait à partir de lait de vache — même si, à l'origine, il était fabriqué à partir de lait de bufflonne. Fumé, il a une saveur de champignons sauvages et légèrement salée. On le trouve également non fumé, mais son goût est beaucoup plus fade. Il est de texture filandreuse et un peu élastique.

RIGATONIS ET AIGUILLETTES DE CANARD AU SCAMORZA (pour 4 personnes)

1 boîte (500 g) de rigatonis
2 poitrines de canard coupées en lanières
2 tasses (500 ml) de scamorza râpé
2 échalotes françaises, hachées
1 c. à thé (5 ml) d'estragon
1 c. à thé (5 ml) de basilic
1 gousse d'ail
2 tomates coupées en morceaux
1/4 de tasse (60 ml) d'huile d'olive
2 tasses (500 ml) de crème 35 %
1 tasse (250 ml) de vin blanc
sel et poivre

Faites cuire les rigatonis *al dente*, égouttez et gardez au chaud.

Dans une poêle, faites chauffer un peu d'huile d'olive et faites-y sauter vos lanières de canard avec les échalotes, l'estragon, le basilic, le sel et le poivre. Il ne faut pas cuire à l'excès. Le canard doit être de rosé à saignant. Retirez et mettez de côté.

Jetez le gras de la poêle, ajoutez-y un peu d'huile d'olive et faites sauter les tomates et l'ail. Laissez réduire un peu avant de déglacer au vin blanc. Laissez réduire de nouveau, incorporez la crème, faites mijoter jusqu'à ce que la sauce ait la consistance désirée. Ajouter ensuite les aiguillettes de canard. Disposez les pâtes sur les assiettes, nappez avec le canard en sauce, parsemez de fromage et servez.

 Vin italien, rouge ou blanc.

* * *

SERRA

Pâte demi-ferme

Portugal

Le serra, produit des hautes terres, est un fromage fabriqué en meules, à partir parfois exclusivement de lait de brebis, parfois mêlé à du lait de chèvre et même à du lait de vache. Sous sa croûte, fine et ténue — on en trouve aussi sans croûte —, de la couleur dorée de la paille, se camoufle une pâte tendre, parsemée de petites cavités, moelleuse et douce, de couleur ivoire et à saveur, douce et légère, de beurre frais.

RIZ AUX FRUITS DE MER AU SAFRAN ET AU SERRA
(pour 4 personnes)

2 tasses (500 ml) de riz
2 1/2 tasses (625 ml) d'eau
1/4 de tasse (60 ml) de safran
2 échalotes hachées
1 tasse (250 ml) de pétoncles en morceaux
1 tasse (250 ml) de crevettes de Matane
1 tasse (250 ml) de moules cuites
2 c. à soupe (30 ml) de coriandre fraîchement moulue
1 c. à thé (5 ml) de basilic
1 c. à thé (5 ml) d'origan
1 gousse d'ail hachée
1 tasse (250 ml) de pâte de tomates
1 tasse (250 ml) de vin blanc sec
2 tasses (500 ml) de serra râpé
sel et poivre
3 c. à soupe (45 ml) de beurre
1/4 de tasse (60 ml) d'huile d'olive

Vous devez d'abord faire cuire le riz. Dans une noix de beurre, dans une casserole, faites revenir une échalote. Ajoutez l'eau, le safran, le riz, un peu de sel et de poivre, mélangez, couvrez et cuisez de 20 à 25 minutes à feu moyen.

Dans une poêle, faites sauter les pétoncles, les crevettes et les moules dans un peu de beurre avec la coriandre, le basilic, l'origan et la seconde échalote. Dans une casserole, récupérez le jus de cuisson des fruits de mer en les passant dans une passoire. Ajoutez à ce jus la pâte de tomates et le vin blanc. Incorporez ensuite le riz à la sauce avec le fromage, les fruits de mer et l'huile d'olive. Servez.

 Vin blanc sec; vin rouge légèrement corsé.

* * *

 SURSIS

Pâte demi-ferme (filée)

Italie

Le sursis est fabriqué à partir de lait de vache. De saveur laiteuse et légèrement aigre-douce, ce fromage se marie très bien avec des plats sucrés ou des plats aux fines herbes ou aux épices douces. Crémeux, il a toutefois, comme ses semblables, une texture un peu élastique, imputable à son mode de fabrication.

GALETTES DE SAUMON FRAIS AU SURSIS
(pour 4 personnes)

1 lb (454 g) de saumon frais
1 1/2 lb (680 g) de pommes de terre
2 tasses (500 ml) de sursis râpé
1 gousse d'ail hachée
2 c. à thé (10 ml) d'aneth
1 c. à thé (5 ml) de cerfeuil
sel et poivre
3 c. à soupe (45 ml) de beurre
1 tasse (250 ml) de farine
1 tasse (250 ml) de chapelure

4 œufs
1/2 tasse (125 ml) de lait ou de crème 15 %
1 tasse (250 ml) de vin blanc

Faites cuire les pommes de terre à l'eau salée.

Dans le même temps, faites pocher le saumon comme suit: dans une casserole, versez le vin blanc, le sel, le poivre, l'aneth, le cerfeuil et l'ail, et ajoutez suffisamment d'eau pour que le poisson soit largement recouvert. Dès que le saumon est cuit, retirez-le du bouillon et gardez-le au chaud. Réservez le bouillon.

Dès que les pommes de terre sont cuites, égouttez-les et laissez-les sécher un peu. Puis, faites une purée en y ajoutant le lait (ou la crème), du sel et du poivre et une noix de beurre. La purée doit être consistante et ferme, presque sèche. Incorporez-y ensuite le saumon émietté en ajoutant, au besoin, un peu du bouillon de cuisson. Battez le tout énergiquement avec 2 œufs entiers et le fromage râpé.

Confectionnez 8 galettes rondes et épaisses. Passez-les dans la farine, puis dans 2 œufs battus et, enfin, dans la chapelure.

Dans une poêle, faites fondre du beurre et faites-y griller les galettes. Mettez ensuite au four à 375 °F (190 °C) une dizaine de minutes. Servez.

NOTE: Avec le bouillon de cuisson du saumon, vous pouvez confectionner une sauce béchamel (voir la recette à la page 53) et nappez les galettes de cette sauce.

 Vin blanc fruité; bière blonde douce.

 TOMME

Pâte demi-ferme (moulée)

Savoie (Suisse)

Fromage des hautes terres, le tomme est moulé à l'affinage. Fabriqué à partir de lait de vache, on le façonne en grosses meules. Sa croûte mince, naturelle, de couleur ivoire et recouverte d'une pellicule de plastique rouge, cache une pâte souple de couleur paille, ferme, tendre et crémeuse, au goût de beurre légèrement corsé. Son arôme est un peu fort, sans être saisissant.

ESCALOPES DE SAUMON FARCIES AU TOMME
(pour 4 personnes)

4 escalopes de saumon coupées en deux
1 tasse (250 ml) de câpres hachées
1 oignon haché
4 tranches de tomme
1/4 de tasse (60 ml) de ciboulette émincée
sel et poivre
1/4 de tasse (60 ml) de jus de citron vert
1/4 de tasse (60 ml) de beurre

Dans un peu de beurre, faites griller les 8 escalopes de saumon, salées et poivrées. Retirez de la poêle et disposez dans un plat allant au four.

Dégraissez la poêle, déposez-y un tout petit peu de beurre et faites-y revenir les câpres et l'oignon. Faites refroidir légèrement dans un bol avant d'ajouter le fromage et de diviser ce mélange sur 4 demi-escalopes de saumon, que vous recouvrirez des 4 autres demies.

Dans la même poêle, ajoutez le reste du beurre, la ciboulette et le jus de citron.

Réchauffez les escalopes farcies au four jusqu'à ce que le fromage soit fondu. Disposez dans des assiettes et nappez de la sauce à la ciboulette.

 Vin blanc ou rouge corsé; bière blonde forte.

* * *

 TRECCE

Pâte demi-ferme (filée)

Italie

Le nom de *trecce*, tresse en italien, vient du fait que ce fromage se présente sous cette forme. Le trecce s'apparente au mozzarella — bien qu'il soit un peu moins ferme et plus doux au goût — et au bocconcini — en plus fibreux et à saveur plus neutre. Fabriqué à partir de lait de vache, le trecce est un fromage passe-partout qui se gratine très bien et se marie favorablement à des mets très épicés ou à des entrées relevées.

CANTALOUP AU JAMBON DE PARME ET AU TRECCE (pour 4 personnes)

1 cantaloup pelé et coupé en 12 morceaux
12 tranches de jambon de Parme
12 tranches de trecce
12 feuilles de laitue trévise
12 tranches de pomme arrosées de jus de citron
12 tomates cerises, coupées en 2
12 petites touffes de persil italien

Dans un grand plateau de service, étalez vos feuilles de laitue. Sur chacune, déposez un quartier de cantaloup enroulé dans une tranche de jambon. Sur chacun de ces rouleaux, déposez une tranche de trecce. Décorez chaque feuille de salade avec une tranche de pomme, deux moitiés de tomate et une petite touffe de persil. Servez comme entrée ou comme collation-repas.

 Vin blanc fruité; bière brune ou blonde, légère.

LES PÂTES FERMES

Les fromages fermes — qui représentent incontestablement la variété la plus nombreuse — sont affinés en profondeur, moulés et écrasés afin d'en extraire tout le petit-lait. Certains sont cuits, ce qui en augmente encore la fermeté, d'autres sont crus, et la grande majorité sont façonnés en meules, en briques ou en gros cylindres dont le poids varie de 10 à 80 livres (de 4,5 à 36 kilos). Le degré d'humidité de ces fromages va de 20 % à 30 %, tandis que leur taux de matières grasses oscille entre 35 % et 55 %.

De consistance généralement dense, ces produits sont, malgré leur appellation de fromage ferme, des fromages tendres. Leur texture, souvent lisse et unie, peut cependant être, pour quelques-uns d'entre eux, granuleuse, cassante ou friable. Certains sont émaillés de trous, plus ou moins gros et plus ou moins nombreux selon la variété. Leur saveur va de délicate à corsée, selon la méthode d'affinage utilisée.

À l'achat, ce sont sensiblement les mêmes aspects que pour les autres fromages qui doivent être examinés, c'est-à-dire qu'ils ne doivent présenter aucun aspect collant ou visqueux et ne dégager aucune odeur d'ammoniac. Ils ne doivent pas être mouchetés de vert ou de jaune; et il faut écarter les fromages rances ou désagréablement piquants sur la langue ou ceux qui s'effritent sous les doigts.

Les fromages à pâtes fermes se conservent plusieurs semaines au réfrigérateur, à condition d'être bien emballés. La majorité d'entre eux peuvent être congelés durant plusieurs mois sans en souffrir.

* * *

 BRICK

Pâte ferme

Wisconsin (États-Unis)

Fabriqué à partir de lait de vache, le brick, fromage de meule, sans croûte et constellé de petits trous, est un excellent fromage à servir dans les cocktails de dégustation. Généralement vendu en briques, c'est un fromage frais, léger, dont la pâte blanchâtre est souple, élastique, plus tendre que celle du cheddar, mais quand même ferme. Son goût va de doux à moyen, selon son âge.

BŒUF FUMÉ WISCONSIN (pour 4 personnes)

4 tasses (1 litre) de bœuf fumé en cubes
2 gros oignons rouges, hachés

1 c. à thé (5 ml) de poivre
1 pincée de girofle
4 grosses pommes de terre coupées en gros cubes
2 tasses (500 ml) de vin rouge
1 boîte (370 ml) de sauce à bifteck
de 8 à 10 tranches de brick
3 c. à soupe (45 ml) de beurre

Dans une casserole assez profonde, faites fondre le beurre et faites-y blondir les oignons. Ajoutez le bœuf, les pommes de terre, le poivre et le girofle. Couvrez de vin rouge et laissez mijoter de 25 à 30 minutes. Au bout de ce temps, ajoutez la sauce à bifteck et laissez réduire jusqu'à ce qu'elle ait la consistance désirée.

Versez le tout dans un plat allant au four et couvrez de fromage. Passez au four à 375 °F (190 °C) durant 15 minutes et servez.

 Vin rouge du terroir; bière brune forte.

* * *

 **CHEDDAR**

 Pâte ferme

🌍 Angleterre

Fabriqué à partir de lait de vache, en grosses briques, le cheddar est l'un des fromages les plus connus. Le cheddar anglais est l'ancêtre du cheddar canadien, ce qui n'empêche pas ce dernier d'avoir une excellente réputation un peu partout dans le monde. Le goût du cheddar va de extra-doux à extra-fort. Sa saveur d'amande grillée prend de la force à mesure que le fromage vieillit et sa couleur passe de blanc cassé, lorsqu'il est jeune, à jaune de plus en plus foncé à mesure qu'il prend de l'âge. Le cheddar doux, comme son nom l'indique, a peu de goût, tandis que le fort a une odeur corsée et un goût persistant en bouche.

POMMES AU FOUR AU CHEDDAR ET À LA CANNELLE
(pour 4 personnes)

4 pommes, avec la pelure, mais sans le cœur et coupées en deux
un peu de jus de citron
2 tasses (500 ml) de cheddar râpé
2 c. à soupe (30 ml) de beurre
2 c. à thé (10 ml) de cannelle
1 c. à soupe (15 ml) de sucre

Creusez délicatement l'intérieur des pommes avec une cuillère à parisienne (à petites boules). Arrosez les boules et l'intérieur des pommes d'un peu de jus de citron pour empêcher l'oxydation. Déposez les boules de pommes dans un bol et ajoutez-y le cheddar râpé. Déposez une noix de beurre à l'intérieur des demi-pommes et remplissez la cavité avec le mélange pommes-cheddar. Mêlez la cannelle et le sucre, et saupoudrez sur les pommes. Passez au four à 375 °F (190 °C) durant une vingtaine de minutes.

 Vin blanc sec ou vin rouge du terroir; bière brune forte.

* * *

 **COLBY**

 Pâte ferme

Wisconsin (États-Unis)

Fabriqué à partir de lait de vache, le colby — un dérivé du cheddar américain — est un fromage dont le taux d'humidité est assez élevé, sans croûte et constellé de petits trous. Sa pâte orangée est ferme, veloutée et fondante à la fois, et sa saveur est subtile, douce et raffinée. Comme tous les cheddars, le colby n'est pas un fromage à gratiner. Cependant, il se prête à de nombreuses préparations.

SAUCE COLBY POUR LÉGUMES
(pour 4 personnes)

4 tasses (1 litre) de lait
2 c. à soupe (30 ml) de beurre
1/4 de tasse (60 ml) de farine
2 pincées de muscade
2 pincées de coriandre
2 tasses (500 ml) de colby en cubes
1 jaune d'œuf
sel et poivre

Portez le lait à ébullition et mettre de côté.

Dans une casserole, à feu moyen, faites fondre le beurre et dès qu'il est entièrement fondu, ajoutez la farine. Mêlez sans arrêt pour éviter que cela colle au fond du chaudron. Faites cuire 2 minutes, puis versez-y le lait chaud. Mélangez toujours à l'aide d'un fouet. Ajoutez la muscade, la coriandre et le fromage. Laissez épaissir sans cesser de remuer. Ajoutez ensuite le jaune d'œuf préalablement réchauffé avec un peu de sauce. Salez et poivrez au goût. Cuisez encore 2 ou 3 minutes et nappez sur des légumes.

Vin blanc fruité; vin rouge léger; bière blonde douce.

* * *

ÉDAM

Pâte ferme

Pays-Bas

L'édam, un fromage qui se fabrique en meules et qui est aussi offert sous une forme sphérique, est fait de lait de vache et se présente recouvert d'une cire rouge ou jaune. Sa pâte, jalonnée de quelques trous, va de jaune pâle à jaune foncé; elle est ferme, tendre, moelleuse et son goût noisetté et salé va de moyen à fort, selon sa période d'affinage.

SALADE DE FARFALLES À L'ÉDAM (pour 4 personnes)

4 tasses (1 litre) de farfalles (ou papillons)
2 tasses (500 ml) de fromage édam en cubes
1 tasse (250 ml) de mayonnaise
1 poivron rouge en petits cubes
1 poivron vert en petits cubes
1 tasse (250 ml) d'échalotes ciselées
1 c. à thé (5 ml) de grains d'anis broyés
1 pincée de thym

1/4 de tasse (60 ml) de persil
1/4 de tasse (60 ml) de moutarde de Dijon
1 c. à soupe (15 ml) de sauce soya
sel et poivre
4 bouquets de cresson

Faites cuire les pâtes comme il est indiqué sur l'emballage et mettez de côté.

Dans un bol, déposez la mayonnaise, les poivrons rouge et vert, les échalotes, l'anis, le thym, le persil, la moutarde, la sauce soya, du sel et du poivre au goût, et mélangez le tout. Incorporez le fromage et versez le tout sur les pâtes refroidies. Mêlez délicatement.

Réfrigérez 1 heure (au moins) avant de servir. Décorez de bouquets de cresson.

 Vin rouge corsé; bière néerlandaise forte.

* * *

 ELBO

 Pâte ferme

🌑 Danemark

L'elbo, produit du terroir (et originellement de fabrication paysanne), est un fromage typique du Danemark. Fabriqué à partir de lait de vache, il est façonné en grosses briques. Il se présente avec ou sans croûte et sa pâte, compacte, de couleur ivoire, est ferme et en même temps moelleuse et fondante. Sa saveur, qui recèle une note d'exotisme, est douce et peu prononcée lorsque le fromage est jeune et devient plus piquante et corsée lorsque celui-ci vieillit.

BROCHETTES DE FRUITS À L'ELBO
(pour 4 personnes ou 20 mini-brochettes)

60 petits cubes de fromage elbo
20 mini-brochettes *ou* 20 longs cure-dents
20 boules de melon de miel
20 boules de cantaloup
20 raisins verts, sans pépins
20 fraises

Embrochez comme suit: fraise, fromage, melon, fromage, cantaloup, fromage, raisin. Ceci, bien entendu, n'est qu'une suggestion. Vous pouvez varier en enrobant les melons (de miel ou cantaloup) de jambon de Parme ou choisir d'autres fruits selon vos préférences. Excellent pour un cocktail ou un en-cas du soir ou de l'après-midi en dégustant un petit verre de vin ou une bière.

 Vin blanc sec; vin rouge fruité; bière blonde corsée.

* * *

EMMENTAL

 Pâte ferme

Vallée de Emme (Suisse)

Fabriqué à partir de lait de vache, l'emmental suisse, le seul véritable emmental (si souvent imité), a une saveur riche et le parfum des herbes de la montagne. Contrairement à la croyance, le meilleur emmental est celui qui a le moins de trous. Fabriqué en grosses meules, sa croûte (lorsqu'il en a une) est jaune, dure et sèche; sa pâte est tantôt ivoirine, tantôt jaune pâle. Son goût suave évoque légèrement la noisette; une note un peu sucrée s'en libère.

CHOU-FLEUR GRATINÉ (pour 4 personnes)

1 chou-fleur en petits bouquets
sel et poivre
4 tasses (1 litre) de béchamel (voir la recette à la page 53)
1/4 de tasse (60 ml) de persil haché
2 tasses (500 ml) d'emmental râpé
1 c. à thé (5 ml) de paprika

Dans un peu d'eau salée, faites cuire les bouquets de chou-fleur *al dente*. Égouttez-les et déposez-les dans un plat allant au four. Salez, poivrez et nappez de béchamel. Saupoudrez de persil. Parsemez de fromage et de paprika.

Passez au four à 375 °F (190 °C) une quinzaine de minutes, puis à *broil* jusqu'à ce que le fromage soit doré.

 Vin blanc ou rouge fruité.

FONTINA VAL D'AOSTA

 Pâte ferme

🌐 Piémont (Italie); Fontal (Danemark)

Fabriqué en meules, à partir de lait de vache, ce fromage à la croûte fine, dont la couleur va de orange à rouge, est recouvert d'une fine couche de cire rouge. C'est un fromage qui a du caractère. Sa pâte souple, de blanc cassé à presque jaune, constellée de petits orifices, est tendre, onctueuse, presque fondante bien qu'elle soit légèrement élastique. Sa saveur, douce et sauvage à la fois, laisse dans la bouche un petit goût de noisette.

CÔTELETTES DE PORC FONTINA
(pour 4 personnes)

4 côtelettes de porc
2 échalotes françaises, hachées
1 gousse d'ail hachée
2 c. à thé (10 ml) de cerfeuil
1 petite bouteille de bière blonde
1 tasse (250 ml) de crème 15 %
2 tasses (500 ml) de fontina
sel et poivre
2 c. à soupe (30 ml) de beurre

Dans une poêle, faites fondre le beurre. Salez et poivrez les côtelettes, faites-les griller des deux côtés, puis mettez-les au four à 375 °F (190 °C) de 15 à 20 minutes.

Pendant ce temps, dans une casserole, faites fondre une noix de beurre et faites-y blondir les échalotes avec l'ail et le cerfeuil.

Déglacez à la bière, laissez réduire un peu, puis ajoutez la crème et le fromage. Laissez mijoter jusqu'à ce que le fromage soit complètement fondu. Rectifiez l'assaisonnement.

Nappez les côtelettes de cette sauce et servez.

 Vin blanc ou rouge doux; bière blonde douce.

* * *

 **GOUDA**

 Pâte ferme

🌐 Pays-Bas

Fabriqué à partir de lait de vache, le gouda se présente en forme de boule ou de meule. Sous sa croûte jaune foncé ou rouge, il possède une pâte ferme, tendre et moelleuse, constellée de petits trous et dont la couleur va de presque blanc à ivoire plus ou moins foncé, selon son affinage et son degré de maturation. Sa saveur évoque la noisette et le beurre avec une note plus ou moins piquante, selon son âge.

FILET DE BŒUF AU VIN ROUGE ET AU GOUDA
(pour 4 personnes)

4 filets mignons
1 c. à soupe (15 ml) d'épices à bifteck
4 échalotes hachées
1/2 c. à thé (2,5 ml) de thym
2 tasses (500 ml) de vin rouge
1 boîte (370 ml) de sauce à bifteck
4 tranches épaisses de gouda
sel et poivre
2 c. à soupe (30 ml) de beurre

Saupoudrez les filets mignons d'épices à bifteck et faites-les revenir à la poêle dans du beurre chaud. Retirez-les ensuite de la poêle et gardez-les au chaud dans un plat allant au four.

Jetez le surplus de gras de viande de la poêle, jetez-y une noix de beurre et faites-y blondir les échalotes avec le thym. Déglacez au vin rouge, ajoutez la boîte de sauce à bifteck et laissez mijoter quelques minutes en remuant pour bien homogénéiser. Salez et poivrez au goût.

Déposez une tranche de fromage sur chaque filet mignon et passez au four moyen environ 5 minutes, juste pour que le fromage fonde.

Disposez les filets dans les assiettes, nappez de sauce et servez.

 Vin rouge ou blanc sec; bière brune forte.

 **GRUYÈRE**

Pâte ferme

Suisse

Le gruyère est un des nombreux fromages qui constituent les fromages suisses. Autrefois, le nom gruyère était le terme générique attribué à tous les fromages à pâtes fermes et demi-fermes. Aujourd'hui, alors que le système de classification des fromages s'est quelque peu raffiné, le gruyère ne désigne plus que ce type de fromage; les consommateurs le confondent toutefois souvent avec l'emmental. Fabriqué en meules, à partir de lait de vache, le gruyère est un fromage dense, dur, constellé d'«yeux» ronds. Sous sa croûte sèche, dure, beige et ridée, se cache une pâte ivoire à saveur de noisette, salée, un peu fruitée, beaucoup plus délicate que celle de l'emmental. C'est lorsque les cavités de ce fromage suintent et luisent de matières grasses que le fromage est le meilleur.

FONDUE PARMESAN AU GRUYÈRE

1/4 de tasse (60 ml) de beurre
6 c. à soupe (90 ml) de farine
1 1/2 tasse (375 ml) de lait
2 œufs battus
1 tasse (250 ml) de fromage parmesan ou romano
1 tasse (250 ml) de fromage gruyère râpé
1/4 c. à thé (1 ml) de sel
une pincée de poivre
une pincée de muscade
2 blancs d'œufs

1 c. à thé (5 ml) d'eau
1 c. à thé (5 ml) d'huile végétale
1/2 tasse (125 ml) de farine
1 tasse (250 ml) de chapelure

La veille (ou au moins 8 heures avant), préparez la fondue. Faites fondre le beurre dans une casserole à feu moyen. Ajoutez la farine et cuisez en remuant pendant une minute. Ajoutez le lait; amenez à ébullition en remuant constamment. Cuisez jusqu'à ce que la préparation soit très épaisse. Ajoutez un peu de préparation chaude aux jaunes d'œufs battus; versez dans la casserole et mélangez bien. Cuisez en remuant pendant 2 minutes de plus. Retirez du feu, ajoutez le fromage et les assaisonnements; brassez jusqu'à ce que le fromage soit fondu et que la sauce soit lisse.

Étendez ce mélange dans un moule carré (8 po ou 20 cm) graissé. Couvrez de papier d'aluminium et réfrigérez jusqu'au lendemain.

Taillez la préparation en 36 carrés (ou moins, selon vos préférences). Battez légèrement les blancs d'œufs avec l'eau et l'huile. Enfarinez les morceaux et secouez pour enlever l'excédent de farine. Enrobez de blanc d'œuf, puis de chapelure.

Faites frire en grande friture, 4 ou 5 morceaux à la fois, jusqu'à ce qu'ils soient bien dorés. Égouttez sur du papier absorbant et servez chaud.

Se congèle très bien.

 Vin blanc sec.

MONTASIO

Pâte ferme

Frioul (Italie)

Fabriqué tantôt uniquement de lait de vache, tantôt avec un savant mélange de lait de vache et de chèvre, le montasio, sous sa croûte naturelle, jaune, lisse, sèche et mince, renferme une pâte riche, crémeuse, ferme et souple à la fois, un peu élastique, et dont l'inconvénient majeur est de durcir rapidement. Son goût, de doux à fort, peut être épicé, piquant et sauvage au fur et à mesure qu'il vieillit. Il évoque vaguement le gruyère avec ses trous, bien que ceux-ci soient plus petits et plus rares.

SPAGHETTINIS AU MONTASIO (pour 4 personnes)

1 paquet (500 g) de spaghettinis
2 filets d'agneau coupés en cubes
2 échalotes hachées
1 c. à thé (5 ml) de sarriette
1 c. à thé (5 ml) de sauge
4 tomates coupées en dés
1 courgette coupée en petites lanières
1 gousse d'ail finement hachée
1 tasse (250 ml) de vin blanc
2 tasses (500 ml) de montasio râpé
1/2 tasse (125 ml) d'huile d'olive
sel et poivre

Faites d'abord cuire les pâtes comme il est indiqué sur l'emballage. Égouttez et gardez au chaud.

À la poêle, faites sauter, dans un peu d'huile d'olive, les cubes d'agneau avec de l'échalote, de la sarriette et de la sauge. Une fois que les cubes d'agneau sont cuits et bien dorés, retirez-les de la poêle et jetez le surplus de gras.

Remettez un peu d'huile d'olive dans la poêle et faites sauter les tomates avec la courgette et l'ail. Ajoutez le vin blanc, laissez mijoter, puis incorporez l'agneau.

Mélangez ensuite l'agneau en sauce avec les pâtes, rectifiez l'assaisonnement, parsemez de fromage et servez.

 Vin blanc ou vin rouge corsé; bière blonde forte.

* * *

 **NEWBRA**

 Pâte ferme

Incertaine, probablement le Canada

Fabriqué à partir de lait de vache, le newbra est un fromage à croûte mince, de couleur ivoire. Sa pâte, d'un blanc cassé, ferme mais tendre, crémeuse et souple, est plutôt fade; elle suggère quand même un léger goût de beurre qui augmente avec l'âge.

CASSOLETTES DE RIS DE VEAU AU NEWBRA
(pour 4 personnes)

4 ris de veau
2 oignons hachés

1 poivron rouge haché
2 tasses (500 ml) de laitue ciselée
1/2 c. à thé (2,5 ml) de thym
1/2 c. à thé (2,5 ml) de romarin
2 tasses (500 ml) de petits pois
1 tasse (250 ml) de vin rouge
1 boîte (370 ml) de sauce à bifteck
sel et poivre
4 tranches épaisses de newbra
2 c. à soupe (30 ml) de beurre

Portez de l'eau salée à ébullition et faites-y cuire les ris de veau de 15 à 25 minutes. Retirez ensuite leur membrane de graisse et tranchez chacun en deux.

Dans une poêle, faites fondre une noix de beurre et faites-y revenir les ris jusqu'à ce qu'ils soient bien dorés. Déposez dans des ramequins.

Dégraissez ensuite la poêle, ajoutez-y une noix de beurre et faites sauter les oignons, le poivron, la laitue, le thym et le romarin. Incorporez les petits pois. Versez ce mélange sur les ris de veau.

Jetez le surplus de gras de la poêle, puis déglacez au vin rouge. Ajoutez la sauce à bifteck. Remuez. Salez et poivrez au goût.

Nappez les ris de cette sauce, disposez les tranches de fromage sur le dessus et passez au four à 375 °F (190 °C) durant une vingtaine de minutes. Servez chaud.

 Vin blanc ou rouge fruité; bière brune légère.

PROVOLONE

 Pâte ferme

🌐 Italie

Fabriqué à partir de lait de vache, le provolone se distingue par sa forme cylindrique. Sous une croûte, dont la couleur va de blanc à jaune, se cache une pâte ivoire, tendre, ferme et fibreuse dont la saveur, selon la maturation et l'affinage, va de douce à forte, de sucrée à épicée. Un excellent fromage à gratiner ou à râper.

MÉDAILLONS DE VEAU AU PROVOLONE
(pour 4 personnes)

12 médaillons de veau
2 aubergines coupées en 6 rondelles chacune
12 tranches épaisses de provolone
1 tasse (250 ml) de tomates séchées
1 tasse (250 ml) de basilic frais, haché
2 gousses d'ail hachées
2 échalotes sèches, hachées
1/2 tasse (125 ml) de vin blanc italien
environ 1 tasse (250 ml) d'huile d'olive
sel et poivre

Faites revenir les médaillons de veau à la poêle, dans un peu d'huile. Retirez et gardez au chaud. Dans la même poêle, faites revenir les rondelles d'aubergine et déposez les tranches sur les médaillons. Rajoutez un peu d'huile et faites sauter les tomates, le basilic, l'ail et les échalotes.

Déglacez au vin blanc. Salez et poivrez au goût. Versez un peu de cette sauce sur chaque aubergine, disposez vos tranches de fromage par-dessus et passez au four à 375 °F (190 °C) une dizaine de minutes. Servez.

 Vin italien blanc; vin rouge corsé.

* * *

 RACLETTE

 Pâte ferme

🌐 Suisse

Fabriquée en meules, à partir de lait de vache, la raclette recèle, sous sa mince croûte couleur ambre, une pâte chaleureuse, riche, crémeuse, avec un petit goût de noisette qui évoque la succulente saveur de l'emmental ou du gruyère. Ce fromage se gratine merveilleusement bien.

Vous pouvez utiliser ce fromage en raclette suisse, c'est-à-dire en faisant chauffer le fromage sur cet appareil et en l'accompagnant de pommes de terre sautées, de légumes cuits, de pain de campagne ou de fruits chauds (pomme, poire ou raisins).

FONDUE SUISSE À LA RACLETTE (pour 4 personnes)

1 lb (454 g) de fromage
1 1/2 c. à soupe (22 ml) de beurre
1 oignon haché
1/2 c. à thé (2,5 ml) de muscade

1/2 c. à thé (2,5 ml) de piments broyés
2 tasses (500 ml) de vin blanc
2 tasses (500 ml) de lait
2 oz (60 ml) de cognac ou de whisky
1 1/2 c. à soupe (22 ml) de beurre mêlé de façon homogène
   à 1/4 de tasse (60 ml) de farine

Dans une casserole, faites fondre 1 1/2 c. à soupe (22 ml) de beurre et faites-y revenir l'oignon haché, la muscade et les piments broyés. Ajoutez le vin, laissez frémir, puis ajoutez le lait. Laissez mijoter.

Réduisez le feu, incorporez le fromage et laissez fondre en remuant constamment. Ajoutez le cognac ou le whisky, portez à ébullition et, à l'aide d'un fouet, épaississez avec le mélange de farine et de beurre. Allez-y avec une minime quantité à la fois.

Dès que vous aurez obtenu la consistance désirée, versez dans un réchaud. Se déguste avec des croûtons de pain, des pommes de terre, etc., et s'accompagne de cornichons à l'aneth et à l'ail.

 Vin blanc ou rouge fruité.

* * *

SAINT-ANDRÉ

Pâte ferme

Incertaine, probablement le Canada

Le saint-andré est, en quelque sorte, un dérivé du fromage gruyère, mais en plus moelleux. Fabriqué à partir de lait de vache, son goût ressemble à celui de l'emmental et, de façon générale, à celui des fromages suisses. Riche, ferme, mais crémeux sur la langue, il charme les palais avec son petit goût de noisette.

CANAPÉS DE SARDINES AU SAINT-ANDRÉ
(pour 4 personnes)

16 tranches de pain coupées en deux
1/2 tasse (125 ml) de beurre
16 tranches de saint-andré
5 boîtes de sardines
1/4 de tasse (60 ml) de moutarde de Dijon
1/4 de tasse (60 ml) de ciboulette hachée
1/4 de tasse (60 ml) de mayonnaise
quelques gouttes de tabasco
quelques gouttes de sauce Worcestershire
1/4 de tasse (60 ml) de crème 35 %, fouettée
2 c. à soupe (30 ml) de paprika
1/4 de tasse (60 ml) de câpres

Beurrez les tranches de pain et faites-les griller au four. Laissez refroidir.

Dans un bol, mêlez les sardines, la moutarde, la ciboulette et la mayonnaise, et fouettez le tout. Ajoutez le tabasco, la sauce Worcestershire, mêlez et incorporez délicatement la crème fouettée.

Déposez le fromage sur le pain, badigeonnez du mélange de sardines, parsemez de paprika et décorez de câpres. Servez.

 Vin blanc ou rouge fruité.

* * *

 **TILSIT**

 Pâte ferme

Allemagne

Fabriqué à partir de lait de vache, le tilsit est un fromage doux quand il est jeune, fort et épicé en vieillissant. Semblable au gouda, mais en moins ferme, sa croûte, quand il en a une, est mince et va de jaune paille à brunâtre. Sa pâte, d'un blanc cassé, est élastique et parsemée de trous.

GNOCCHIS AU TILSIT (pour 4 personnes)

4 tasses (1 litre) de gnocchis
3 tasses (750 ml) de lait
2 c. à soupe (30 ml) de beurre
1 oignon haché
1/2 tasse (125 ml) de moutarde de Dijon

1 c. à thé (5 ml) de graines de pavot
1/4 de tasse (60 ml) de farine
1 c. à thé (5 ml) de muscade
2 tasses (500 ml) de tilsit râpé
sel et poivre

Faites cuire les gnocchis comme il est indiqué sur l'emballage. Dans une casserole, portez le lait à ébullition et gardez au chaud.

Dans une autre casserole, faites fondre le beurre et faites-y revenir l'oignon, la moutarde et les graines de pavot. Remuez bien, puis ajoutez la farine. Cuisez une minute, puis versez le lait, le fromage et la muscade. Remuez jusqu'à épaississement.

Déposez les gnocchis dans un plat allant au four, recouvrez-les de sauce et passez au four à 375 °F (190 °C) pendant une dizaine de minutes.

 Vin rouge ou blanc sec.

LES PÂTES DURES

Les fromages de cette catégorie sont cuits à de très hautes températures, moulés, puis écrasés au maximum afin d'être affinés en profondeur. L'affinage dure toujours au moins deux ans. Ce sont généralement des fromages à râper ou à déguster en tout petits morceaux. Leur taux d'humidité oscille entre 20 % et 30 %, tandis que leur teneur en matières grasses va de 30 % à 40 %.

En meules ou en gros morceaux, ces fromages se conservent plusieurs semaines, au sec, dans une serviette ou un linge de coton, sans réfrigération. Il est préférable d'acheter ce type de fromage en morceaux et de le râper soi-même, car il ne suffit que de quelques heures pour que, râpé, il perde une grande partie de sa saveur. Dès qu'il est râpé, il doit être réfrigéré dans la section la moins humide du réfrigérateur, mais malgré cela, il se conservera moins bien et moins longtemps qu'en morceaux.

Les pâtes dures se congèlent très bien. La meilleure manière est de le râper et de le congeler sous cette forme, en portions, suivant l'usage qu'on lui réserve.

On peut dire des pâtes dures que plus elles vieillissent, meilleures elles sont.

* * *

 GRANA PADANO

 Pâte dure

🌐 Lombardie (Italie)

Sous une croûte huileuse jaune foncé se dissimule une pâte jaune pâle, friable malgré sa dureté. Fabriqué à partir de lait de vache, en grosses meules de plusieurs kilos chacune, le padano évoque le parmesan, en moins corsé et un peu plus raffiné. Sa saveur est douce, bien qu'elle soit légèrement épicée. Le grana padano est généralement utilisé râpé.

FETTUCCINIS À LA NAPOLITAINE (pour 4 personnes)

1 paquet (500 g) de fettuccinis
2 tasses (500 ml) de tomates coupées en dés
1 tasse (250 ml) de basilic frais, haché
1 tasse (250 ml) de persil italien, haché
1/4 de tasse (60 ml) d'ail haché
1 c. à soupe (15 ml) de piments broyés
2 tasses (500 ml) de jus de légumes
1 c. à soupe (15 ml) de sucre

sel et poivre
2 tasses (500 ml) de padano râpé
1 tasse (250 ml) d'huile d'olive

Faites cuire les pâtes comme il est indiqué sur l'emballage. Égouttez et réservez.

Versez un peu d'huile dans une casserole et faites revenir les tomates en dés, le basilic, le persil, l'ail et les piments broyés. Ajoutez ensuite le jus de légumes et le sucre, salez et poivrez, et laissez mijoter jusqu'à ce que la sauce soit de la consistance désirée. Ajoutez les pâtes et le reste de l'huile d'olive, et remuez.

Garnissez les assiettes et parsemez de fromage râpé.

 Vin italien, rouge ou blanc, corsé.

* * *

 KÉFALOTYRI

 Pâte dure

 Grèce

Le nom kéfalotyri vient du grec *kefalo* qui signifie «casque» ou «chapeau», car sa forme évoque cet accessoire vestimentaire. Fabriqué à partir de lait de chèvre ou de brebis, le kéfalotyri est un fromage qui a beaucoup de caractère. Sous une croûte sèche se cache une pâte, de couleur blanc cassé, parsemée d'«yeux», à saveur très prononcée, corsée, saline. On en fait un excellent fromage râpé.

SALADE DE TRÉVISE ET DE POMMES AU KÉFALOTYRI
(pour 4 personnes)

4 tasses (1 litre) de laitue trévise ciselée
3 tasses (750 ml) de fromage kéfalotyri en dés
1 1/2 tasse (375 ml) de vinaigre de vin
1 c. à soupe (15 ml) de sucre
4 tasses (1 litre) de pommes coupées en gros dés
1 tasse (250 ml) de câpres
sel et poivre

Chauffez le vinaigre de vin avec le sucre, les pommes et les câpres jusqu'à ce qu'il frémisse, puis laissez refroidir.

Mêlez la laitue et le fromage, ajoutez le chaudron de vinaigrette refroidie, salez et poivrez au goût. Remuez bien et servez.

 Vin rouge du terroir; vieux porto.

* * *

 PARMESAN

 Pâte dure

🌑 Toscane (Italie)

Ce fromage, fortement aromatisé, est le plus dur des durs, et sans doute le plus renommé de sa catégorie. Fait de lait de vache, il est fabriqué en grosses meules cylindriques de plusieurs kilos chacune. Sous sa croûte, qui va de ambré à brun foncé, parfois cirée ou huilée, se dissimule une pâte dure, granuleuse, compacte, crémeuse et fondante. Sa couleur va de ivoire à jaune doré, et sa saveur piquante et épicée évoque un peu la noisette.

PIZZA AUX TOMATES MAISON (pour 4 personnes)

4 galettes mexicaines (genre tortillas)
1/4 de tasse (60 ml) d'huile d'olive
1/2 tasse (125 ml) de pâte de tomates
1 tasse (250 ml) de basilic haché
tomates tranchées
sel et poivre au goût
2 tasses (500 ml) de parmesan râpé

Badigeonnez les galettes d'huile d'olive, puis de pâte de tomates. Saupoudrez de basilic et disposez les tranches de tomates. Salez, poivrez et parsemez de fromage parmesan. Passez au four à 400 °F (200 °C) de 10 à 15 minutes. Servez.

 Vin italien, blanc ou rouge, corsé.

* * *

 PECORINO ROMANO

 Pâte dure

🌐 Rome (Italie)

Généralement fabriqué à partir de lait de brebis, le pecorino romano est parfois fait à base de lait de chèvre. Il se présente sous forme de meule cylindrique. Sa pâte est recouverte d'une croûte jaune, lisse et dure. Sous cette croûte se cache un fromage au riche bouquet dont la pâte jaune paille, granuleuse et friable possède une saveur prononcée, corsée et piquante.

MACARONIS AU PECORINO ROMANO
(pour 4 personnes)

1 boîte (500 g) de macaronis
1/4 de tasse (60 ml) d'huile d'olive
1 oignon haché
2 tasses (500 ml) de jambon blanc coupé en cubes
2 c. à thé (10 ml) d'origan
1/2 tasse (125 ml) de vin blanc
2 tasses (500 ml) de crème 35 %
sel et poivre au goût
2 tasses (500 ml) de romano râpé

Faites cuire les macaronis comme il est indiqué sur l'emballage. Égouttez, rincez et mettez de côté.

Dans une casserole, faites chauffer l'huile et faites-y revenir l'oignon, le jambon et l'origan. Ajoutez le vin blanc et laissez réduire. Incorporez ensuite la crème, salez et poivrez, et laissez réduire de nouveau jusqu'à la consistance désirée. Ajoutez les pâtes, rectifiez l'assaisonnement et laissez mijoter quelques minutes.

Disposez dans les assiettes et saupoudrez de fromage râpé.

 Vin rouge ou blanc sec.

LES PÂTES PERSILLÉES

Si vous n'avez jamais goûté de *bleu*, comme on nomme souvent les fromages de cette catégorie, alors il vous sera difficile d'imaginer la puissance de ce type de fromage, dont le plus célèbre représentant est incontestablement le roquefort. Les pâtes persillées sont des fromages auxquels on injecte, à l'aide de longues seringues, du *penicillium roqueforti* (dans le cas du roquefort), du *penicillium gorgonzola* (pour ce type de fromage) ou du *penicillium glaucum* avant de les faire fermenter pour une période d'environ deux mois.

Veinés, marbrés de traînées de moisissure de couleur vert-bleu sillonnant à travers une pâte ivoirine, ces fromages ont un arôme qui va de fort à... quasiment insoutenable pour certaines personnes, et une saveur qui va de piquante à très, très piquante! La majorité de ces fromages à pâte persillée sont fabriqués à partir de lait de vache, sauf quelques rares exceptions dont le roquefort qui est à base de lait de brebis.

Les fromages à pâtes persillées ne se congèlent pas et se conservent mieux lorsqu'ils sont enrobés d'un coton à fromage.

* * *

BLEU

Fromage persillé

France

Des bleus, on en fabrique dans presque toutes les régions de tous les pays du monde. Chacun y va de son... grain de sel! Les différences se situent particulièrement dans le lait (ou le mélange de laits) utilisé, l'affinage et le degré de maturation. Tout comme pour le roquefort, on injecte au bleu une bactérie, le *penicillium glaucum*, qui lui donne son goût corsé, beaucoup moins persistant cependant que celui du roquefort. Sa pâte est crémeuse, non friable, d'un blanc cassé et striée de vert.

FILETS DE MORUE AU BLEU (pour 4 personnes)

4 filets de morue
1 tasse (250 ml) de farine
2 œufs
1 échalote hachée
1/4 de tasse (60 ml) de ciboulette hachée
1/4 de tasse (60 ml) de câpres hachées

1 tasse (250 ml) de vin blanc
4 belles tranches de fromage bleu
2 c. à soupe (30 ml) de beurre
sel et poivre

Passez les filets de morue dans la farine, puis dans les œufs et faites-les griller à la poêle avec du beurre, du sel et du poivre. Retirez et gardez au chaud.

Dégraissez la poêle, ajoutez une noix de beurre et faites blondir l'échalote, la ciboulette et les câpres. Ajoutez le vin et le fromage. Chauffez jusqu'à ce que le fromage soit entièrement fondu. Nappez les filets de poisson et servez.

 Vin rouge ou blanc corsé; porto.

* * *

 **GORGONZOLA**

Fromage persillé

Lombardie (Italie)

Fabriqué à partir de lait de vache, en petites meules de forme cylindrique, le gorgonzola est garni d'une mince croûte grisâtre. Sa pâte, striée de vert ou de bleu, est ferme, tendre, non friable et fondante. Son goût est fort, très épicé et encore plus corsé que celui de ses semblables. Par ailleurs, tout comme au bleu ou au roquefort, on injecte, au gorgonzola, du *penicillium glaucum*.

FILETS DE VEAU AU GORGONZOLA
(pour 4 personnes)

2 filets de veau coupés en deux et aplatis
4 échalotes hachées
2 c. à soupe (30 ml) de romarin
1 tasse (250 ml) de vin rouge
1 tasse (250 ml) de crème 15 %
2 tasses (500 ml) de gorgonzola en petits cubes
1 boîte (370 ml) de sauce à bifteck
2 c. à soupe (30 ml) de beurre
sel et poivre

Faites revenir les filets de veau à la poêle avec du beurre, du sel et du poivre. Retirez et gardez au chaud.

Dégraissez la poêle, ajoutez une noix de beurre et faites revenir les échalotes et le romarin.

Déglacez au vin, ajoutez la crème et le fromage, et remuez jusqu'à ce que le fromage soit fondu. Ajoutez la sauce à bifteck et laissez réduire cinq minutes.

Nappez les filets de veau et servez.

Vin rouge corsé; vin blanc sec; bière (brune ou blonde) forte.

* * *

ROQUEFORT

Fromage persillé

France

Le roquefort, sans doute un des fromages les plus célèbres, fut jadis savouré par les plus distingués monarques de ce monde. C'est une pâte dont la couleur va de blanc à ivoire. Elle est persillée, ferme et ne devrait jamais être trop friable. Cette pâte est également tendre, onctueuse, fondante, très odorante, piquante sur la langue; sa saveur subsiste longtemps dans la bouche. De forme cylindrique, ce fromage est fabriqué à partir de lait de brebis. On lui injecte, à l'aide de seringues, plusieurs dizaines de fois en cours de maturation, une moisissure appelée *penicillium roqueforti*, moisissure qu'il recevait autrefois tout naturellement de son environnement. C'est cette substance bactérienne qui occasionne la teinte, qui va de vert à brun, que prend le fromage en vieillissant. Le roquefort, dès qu'il est parvenu à sa pleine maturation, est enveloppé de papier d'aluminium et marqué du sceau de son producteur.

ÉMINCÉ DE BŒUF AU ROQUEFORT
(pour 4 personnes)

4 tasses (1 litre) de bœuf émincé (filet mignon)
2 c. à soupe (30 ml) de beurre
1 pincée de thym
1 échalote hachée
sel et poivre
1 tasse (250 ml) de farine

1 tasse (250 ml) de porto
2 tasses (500 ml) de roquefort
2 tasses (500 ml) de crème 35 %

Dans une casserole, avec une noix de beurre, faites revenir le bœuf avec le thym, l'échalote, un peu de sel et de poivre.

Dès qu'il est bien grillé, saupoudrez-le de farine et remuez.

Ajoutez le porto, le fromage et la crème, et laissez mijoter une quinzaine de minutes. Remuez souvent.

Servez chaud.

 Vin rouge ou blanc, très relevé.

* * *

 STILTON

 Fromage persillé

🌐 Angleterre

Le stilton est un autre grand fromage de cette famille des fromages persillés. Fabriqué à partir de lait de vache, il est ensuite façonné en cylindres. Sous une croûte marron clair, légère bien que dure, on trouve une pâte gorgée de porto (ou de madère) qu'on lui a injecté en cours de maturation. Une pâte qui a du caractère, au goût épicé, fort mais sans acidité, avec une saveur un peu plus délicate que celle des autres fromages de la même catégorie.

CÔTES D'AGNEAU AU STILTON (pour 4 personnes)

12 côtes d'agneau
1/4 de tasse (60 ml) d'épices à bifteck
1 1/2 tasse (375 ml) de vin rouge
2 c. à thé (10 ml) de thym frais
12 tranches de stilton de la grosseur des côtes d'agneau
3 c. à soupe (45 ml) de beurre
poivre au goût

Dans un peu de beurre, faites revenir les côtes d'agneau à la poêle avec les épices à bifteck. Gardez au chaud. Dégraissez la poêle et déglacez au vin rouge avec le thym. Finir la sauce en y fouettant une noix de beurre pour la rendre plus onctueuse.

Déposez une tranche de fromage sur chaque côte d'agneau et passez au four à 375 °F (190 °C) environ 5 minutes.

Nappez de sauce et servez.

 Vin rouge ou blanc corsé.

LES FROMAGES DE CHÈVRE ET DE BREBIS

Fromage de chèvre et *fromage de brebis* sont des expressions extrêmement vagues qui entraînent de nombreux consommateurs profanes à penser que ces types de fromage sont des catégories à part. Ce que ces mêmes consommateurs ne savent pas, c'est qu'ils consomment peut-être depuis des années, sans le savoir, un fromage de chèvre ou de brebis.

Par exemple, le caciotta, le serra, le pecorino romano, le mytzithra et le roquefort sont des fromages fabriqués à partir de lait de brebis, tandis que le feta et le kéfalotyri, pour ne nommer que ceux-là, sont faits à partir de lait de chèvre.

En réalité, si la femelle qui fournit le lait a certes son importance, cela n'est pas, loin s'en faut, le seul critère qui compte dans l'évaluation d'un fromage. Ce qui compte considérablement, ce sont l'habitat et la nourriture de la bête génitrice de ce produit lacté qui donne au monde entier de délicieuses sensations gustatives.

La saveur respective de chacun des fromages est imputable aux conditions d'existence de la bête productrice, à la qualité du sol qui fait pousser la végétation dont elle se nourrit, à l'affinage de son lait et à la maturation du fromage qui en résulte.

Tant il y a de bêtes, tant il y a de fromages!

Quoi qu'il en soit, et cette mise au point faite, voici quand même une recette à base de fromage de chèvre. Choisissez celui qui vous plaît!

FILOTINE DE FROMAGE DE CHÈVRE
(pour 4 personnes)

1 boîte de pâte filo
8 bonnes tranches de fromage de chèvre
1 tasse (250 ml) de beurre fondu
2 jaunes d'œufs battus

Prenez 5 feuilles de pâte filo et, une après l'autre, badigeonnez-les de beurre avant de les déposer l'une sur l'autre. Posez 2 tranches de fromage sur la cinquième feuille et fermez comme un chausson.

Recommencez l'opération avec 5 autres feuilles et 2 nouvelles tranches de fromage jusqu'à ce qu'il n'y ait plus de fromage.

Badigeonnez d'œuf et passez au four à 400 °F (200 °C) de 10 à 15 minutes.

 Vin blanc fruité; vin rouge léger.

LUNCHS, CASSE-CROÛTE ET EN-CAS!

Le fromage a toujours sa place. Il se tartine, s'effiloche, se mange en grains, en tranches, en tresses, en tortillons, en cubes; il se savoure avec des fruits, des légumes, des biscottes; il se cuisine de milliers de façons. Sous un manteau de cire, avec ou sans croûte, en pointes, en raclette ou en fondue, le fromage est un aliment passe-partout, le plus accommodant des dépanneurs.

Nous vous offrons ici quelques recettes, des trucs, des idées pour garnir la boîte à lunch, pour préparer un casse-croûte ou un en-cas vite fait, bien fait, ou encore pour remplir le panier à pique-nique ou bien pour satisfaire l'appétit de vos visiteurs imprévus.

Certaines recettes sont complètes en soi, tandis que d'autres font appel à votre imagination. Vous devez savoir que vous pouvez remplacer certains fromages par d'autres; par exemple, si la recette exige du romano et que vous n'avez que du parmesan, qu'à cela ne tienne, utilisez le parmesan. Si une recette demande du cheddar et que n'avez que de l'édam ou de l'emmental, remplacez-le! Bien sûr, le produit final n'aura sans doute pas le même goût que celui qu'aurait eu la recette originale, mais qu'est-ce que ça peut bien faire! De toute façon, ça sera délicieux et, au bout du compte, c'est toujours ce que l'on veut, non?

Évidemment, on ne peut remplacer, par exemple, le parmesan par du roquefort ou un bleu par du cottage. Il faut quand même essayer de rester à l'intérieur de certains paramètres, comme les catégories de fromages présentées dans les pages qui précèdent.

LES TREMPETTES

Voici deux recettes de trempettes, une sucrée et l'autre salée, qui pourront être de toutes les réceptions, de tous les casse-croûte et de toutes les boîtes à lunch!

TREMPETTE SUCRÉE

1 tasse (250 ml) de fromage de type philadelphia défait en crème
1/4 de tasse (60 ml) de sucre
1/4 de tasse (60 ml) de yogourt nature
3 c. à soupe (45 ml) de crème 35 %
facultatif: une pincée de muscade et une pincée de cannelle

Mêlez bien tous les ingrédients. Réfrigérez 1 ou 2 heures avant de servir avec un plateau de fruits joliment garni et faisant alterner les couleurs: tranches de pomme (légèrement citronnées pour stopper l'oxydation), segments d'orange ou de mandarine, melon de miel, cantaloup, fraises entières, poires en quartiers, raisins verts ou rouges, cerises, ananas en morceaux, rondelles de banane, etc. Une fameuse idée pour faire manger fruits et fromages aux enfants.

Trempette salée

1 tasse (250 ml) de crème sure
1/4 de tasse (60 ml) de fromage à la crème ou de neufchâtel
sel et poivre
2 c. à soupe (30 ml) d'huile d'olive
1 échalote finement hachée
2 c. à soupe (30 ml) de sauce Chili

Mêlez bien tous les ingrédients et servez très froid avec des bâtonnets de céleri, des carottes, des poivrons verts, rouges ou jaunes, des tranches de radis, des rondelles d'oignon cru, des champignons, des quartiers de tomates, des bouquets de chou-fleur et de brocoli, des crevettes, des morceaux de goberge, etc.

VARIANTES

Aux cornichons: ajoutez des cornichons très finement hachés et remplacez la sauce Chili par 1 c. à thé (5 ml) de moutarde de Dijon;

À la ciboulette: remplacez l'échalote par 1/4 de tasse (60 ml) de ciboulette hachée et omettez la sauce Chili;

À l'oignon: omettez le sel, le poivre, l'échalote et la sauce Chili, et remplacez par un sachet de soupe à l'oignon dont vous aurez d'abord passé le contenu dans une passoire pour ne récupérer que la poudre.

TRUC

Pour éviter de vous souiller les doigts ou pour que cela soit plus hygiénique, piquez un cure-dent dans chacun des aliments qui sont sur le plateau et déposez, ici et là sur la table, de petits bols destinés à les recevoir après usage.

SUGGESTIONS POUR BOÎTES À LUNCH

• Biscottes ou craquelins (de extra-mince à très épais, vous pouvez en trouver de toutes les formes et saveurs possibles dans les étalages de supermarchés);

• Baguette (ordinaire ou de type ficelle);

• Toasts melba;

• Bâtonnets Grissol, salés, au blé, au sésame;

• Croûtons à l'ail ou aux fines herbes;

• Pain blanc, complet ou de couleur, ordinaire ou croûté, en tranches, écroûté et découpé en triangle ou en rectangle, ou passé à l'emporte-pièce de fantaisie; petits pains à fourrer, pains à sous-marin, pains kaiser, etc.;

• Pains ou pochettes pita;

• Croissant;

• Bagel;

• Tortillas (qu'on maintient roulées à l'aide de cure-dents) ou tacos.

Pour garnir ces pains (ou pour accompagner ces biscottes), choisissez parmi la soixantaine de fromages qui sont décrits dans ce livre. Vous pouvez aussi, bien sûr, les marier à certaines viandes (salami, jambon de Parme, dinde déchiquetée, mortadelle, saucisson hongrois piquant), à du saumon fumé, à du thon, à de la chair de crabe ou de goberge, à des sardines, à des œufs cuits durs, etc. À cela, il ne vous reste plus qu'à ajouter du... croquant: fines tranches de radis ou de concombre, fines lanières de poivron doux, laitue, luzerne, rondelles d'oignon, etc.

NOTE: Dans les compositions de sandwich, il est toujours préférable de marier une viande douce avec un fromage fort, et vice versa. Il en va de même pour les fruits. Des lanières d'avocat, par exemple, seront rehaussées si on les badigeonne de fromage bleu, tandis qu'un suprême de pamplemousse sera tout à fait délicieux avec une pointe de philadelphia.

La boîte à lunch s'accommode très bien, par ailleurs, d'une salade composée. Il suffit d'une laitue de base, de quelques crudités (en morceaux, finement hachées ou râpées), de fromage (en petits dés, râpé, en flocons ou en grains) et d'une vinaigrette appropriée. Il vaut toujours mieux mettre la vinaigrette dans une petite bouteille à part, sans quoi la salade flétrit et les aliments s'imbibent et ramollissent. Cependant, si vous préférez les fruits aux légumes, alors choisissez, pour votre boîte à lunch, du fromage cottage accompagné de fruits frais ou d'abricots séchés et ajoutez-y quelques alliés du fromage.

LES ALLIÉS DU FROMAGE

Oui, de nombreux aliments sont des alliés du fromage. Vous pouvez monter, de main de maître, à peu de frais et en un temps record, un plateau à base de fromages digne des plus grands chefs. Il suffit de marier les couleurs, les textures et les goûts, et de disposer le tout de façon que ce soit agréable à l'œil. Voici quelques exemples:

Noix: de Grenoble, du Brésil, de cajou, noisettes, amandes, pistaches, arachides grillées ou salées, etc.;

Marinades de toutes sortes: cornichons salés ou sucrés, ail, oignons, betterave, carottes, olives (vertes ou noires), piments forts ou poivrons doux, etc.;

Laitues: endives, radicchio, romaine, frisée, pommée, etc.;

Herbes fraîches et en branches: persil, thym, fenouil, basilic, etc.;

Garnitures de canapés au fromage: câpres, caviar, baies de genièvre, poivre vert mariné, etc.;

Fruits frais: pommes, poires, abricots, raisins, kiwis, mandarines, etc.;

Légumes crus: céleri, carottes, radis, oignon, poivrons doux, champignons, chou-fleur, brocoli, etc.

À très petits prix, vous pouvez vous procurer, dans les magasins à «un dollar», tout un assortiment de ramequins, de petits bols de fantaisie, de plateaux argentés ou de couleur, d'ustensiles de fantaisie, de napperons colorés, de cure-dents à frisons, etc. Bien sûr, on ne mange pas les accessoires, mais il est toujours plaisant d'arriver à impressionner un tant soit peu ses convives. Et puis, tout le monde sait qu'on mange d'abord, un peu, avec ses yeux!

Délice de gourmet, casse-croûte de l'ouvrier, en-cas de la femme au régime, lunch des gens d'affaires, collation du gamin, le fromage, nous le répétons, a toujours sa place.

PETITES RECETTES, BEAUX PLATEAUX!

Dans les pages qui suivent, nous vous offrons plusieurs recettes faciles à faire qui vous permettront de composer les plus beaux plateaux qui soient.

Précisons toutefois, dès ici, que le mot «canapé» se rapporte à l'aliment que vous aurez choisi de garnir, que ce soit du pain frais, du pain grillé, des biscottes sans sel, de la ficelle tranchée ou autres. Bien entendu, il est préférable de varier ceux-ci, mais sachez d'ores et déjà que ce choix, dans les recettes qui suivent, sera laissé à votre discrétion pour éviter les répétitions inutiles. En conséquence, il est impossible de préciser combien de canapés on peut faire avec une garniture donnée.

Par ailleurs, les recettes qui précisent du pain baguette peuvent tout aussi bien se faire sur du pain tranché ordinaire. Cette précision est généralement faite lorsque les canapés doivent être passés au four avant d'être servis.

MINI-BOULETTES DE FROMAGE ET DE THON

1 1/2 tasse (375 ml) de fromage philadelphia à la
   température de la pièce
1 boîte de thon égoutté et défait à la fourchette
3 c. à soupe (45 ml) de concentré pour soupe à l'oignon
1 c. à thé (5 ml) de sauce Worcestershire
1 c. à thé (5 ml) de sauce soya
1/2 c. à thé (2,5 ml) de sel
poivre au goût
noix finement hachées

Mélangez le fromage, le thon, le concentré pour soupe à l'oignon, les sauces, le sel et le poivre jusqu'à ce que le mélange soit parfaitement homogène.

Façonnez en petites boulettes (genre bouchées) et roulez dans les noix hachées.

Réfrigérez quelques heures avant de servir.

CANAPÉS AUX AGRUMES

• Sur canapé, tartinez du fromage cottage et déposez sur celui-ci un suprême de lime, de mandarine ou d'ugli. Décorez avec une baie de genièvre (grain de poivre rose mariné);

• Sur canapé, tartinez du fromage philadelphia et déposez par-dessus un suprême d'orange, de citron ou de pample-mousse;

• Sur canapé, tartinez du fromage petit suisse mêlé à des flocons de saumon, garnissez d'un suprême de mandarine, d'orange ou d'ugli, et décorez avec une feuille de menthe.

NOTE: Un suprême est tout simplement un quartier d'agrume auquel on a retiré la membrane qui recouvre sa pulpe.

CANAPÉS DE RAIFORT AU FROMAGE À LA CRÈME

3 c. à soupe (45 ml) de raifort râpé
3 c. à soupe (45 ml) de fromage philadelphia ramolli
1 c. à soupe (15 ml) de crème 35 %
fromage à gratin

Mêlez les trois premiers ingrédients pour en faire une pâte homogène. Au four, faites griller des tranches de pain baguette et couvrez du raifort à la crème. Saupoudrez de fromage et faites gratiner légèrement.

CRAQUELINS MAISON

Pour ceux et celles qui désirent garnir des craquelins qu'ils ont confectionnés eux-mêmes, Five Roses offre cette recette:

1 tasse (250 ml) de farine
1/2 tasse (125 ml) de semoule de maïs

1/4 de tasse (60 ml) de germe de blé
1/2 c. à thé (2,5 ml) de sel
1/4 de c. à thé (1 ml) de bicarbonate de sodium
1/2 tasse (125 ml) de beurre ou de margarine
1/2 tasse (125 ml) d'un fromage râpé de votre choix
    (cheddar fort, parmesan, padano, gruyère, etc.) ou d'un
    mélange de fromages
6 c. à soupe (90 ml) de lait
1 c. à soupe (15 ml) de vinaigre blanc

Mélangez la farine, la semoule, le germe de blé, le sel et le bicarbonate de sodium. Coupez-y le beurre avec un coupe-pâte ou 2 couteaux jusqu'à ce que le mélange soit grumeleux. Ajoutez le fromage. Mélangez le lait et le vinaigre, et ajoutez tout à la fois aux ingrédients secs. Remuez à la fourchette jusqu'à ce que les ingrédients soient tout juste mélangés.

Pétrir très délicatement sur une planche enfarinée pour obtenir une boule lisse. Abaissez à l'épaisseur voulue (environ 1/8 de po [3 mm]). Taillez avec un emporte-pièce enfariné. Piquez le dessus à la fourchette. Saupoudrez de germe de blé et déposez sur une plaque à biscuits non graissée.

Faites cuire à four modéré de 12 à 15 minutes. Garnissez de la tartinade de votre choix.

PAIN À L'AIL AUX TROIS FROMAGES

1/2 tasse (125 ml) de mozzarella
1/2 tasse (125 ml) de provolone
1/2 tasse (125 ml) de grana padano

1 gousse d'ail finement hachée
suffisamment de sauce à salade pour lier les fromages
des tranches fines de pain baguette

Mélangez les fromages, la sauce à salade et l'ail.
Tartinez sur les tranches de pain baguette et passez au four
à 350 °F (180 °C) de 6 à 8 minutes.

TOASTADAS MEDITERRANEO

1/2 tasse (125 ml) de dindon en flocons et de restes de
   dindon
1 tasse (250 ml) de fromage romano, de provolone ou de
   cheddar rapé
4 c. à thé (20 ml) d'huile d'olive
2 c. à soupe (30 ml) de piments rouges rôtis, hachés (en
   bocal)
15 olives noires, hachées

Mélangez les flocons de dindon, le fromage, l'huile, les
piments rouges et les olives.

Tartinez vos canapés et passez une minute au micro-
ondes ou, si c'est du pain frais et non des biscottes, passez
au four jusqu'à ce que le fromage soit fondu et le pain légèrement grillé.

CÉLERI FARCI AU FROMAGE ET AU POIVRON

4 branches de céleri
2 tasses (500 g) de fromage à la crème philadelphia
1 poivron rouge, jaune ou vert

sel et poivre
paprika (facultatif)

Lavez et coupez les branches de céleri par bouts d'environ 2 po (5 cm) de long.

Défaites le fromage en crème, ajoutez les morceaux de poivron, le sel et le poivre.

Farcissez le creux des céleris avec ce mélange. Saupoudrez de paprika. Les grands et les petits en raffolent.

TREMPETTE AUX TROIS FROMAGES

Une recette tirée du livre *La table en Fête* des Cercles de Fermières du Québec, 1987.

1 tasse (250 ml) de fromage cottage
1/2 tasse (125 ml) de fromage à la crème à la température de la pièce
1/4 de tasse (60 ml) de crème 35 %
1/4 de livre (125 g) de camembert
1/2 c. à thé (2,5 ml) de sel assaisonné
2 pincées de poivre
1/2 c. à thé (2,5 ml) d'aneth séché

Passez les 4 premiers ingrédients au malaxeur jusqu'à ce que le mélange soit bien léger. Incorporez les assaisonnements, mêlez et réfrigérez. Servez avec des biscottes ou des bâtonnets de légumes.

TARTINADE POIVRÉE AU FROMAGE

2 tasses (250 ml) de fromage suisse râpé
1 paquet de 8 oz (250 g) de fromage philadelphia ramolli
1 gousse d'ail finement hachée
1 c. à thé (5 ml) de poivre concassé ou fraîchement moulu

Mélangez les ingrédients. Réfrigérez quelques heures et tartinez. Vous pouvez également utiliser cette tartinade pour en farcir des mini-concombres tranchés en deux dans le sens de la longueur et débarrassés d'un peu de pulpe.

TARTINADE AU FROMAGE ET AU BACON
(pour canapés chauds)

1 tasse (250 ml) de fromage râpé de type cheddar
2 œufs battus
1 c. à thé (5 ml) de sauce Worcestershire
1/2 c. à thé (2,5 ml) de sel
1/2 c. à thé (2,5 ml) de moutarde sèche
quelques tranches de bacon précuites

Mélangez le fromage, les œufs battus, la sauce Worcestershire, le sel et la moutarde sèche.

Tartinez sur du pain baguette et déposez sur chaque tranche de pain des morceaux de bacon.

Passez au four à 475 °F (250 °C) environ 15 minutes.

GARNITURE ÉPICÉE

1 lb (454 g) de porc haché ou moitié porc, moitié bœuf
1 c. à soupe (15 ml) d'huile
1 sachet d'épices Old el Paso
3 c. à soupe (45 ml) de sauce salsa forte avec des morceaux
1/2 tasse (125 ml) d'eau
2 tasses (500 ml) de monterey jack râpé
1 oignon rouge coupé en deux et émincé

Dans l'huile, faites cuire la viande à point. Incorporez ensuite le sachet d'épices, la sauce salsa et l'eau. Laissez mijoter pour réduire.

Déposez ce mélange par cuillérée sur le canapé de votre choix. Saupoudrez de fromage et garnissez d'une fine tranche d'oignon rouge.

Passez au four (traditionnel ou à micro-ondes selon le canapé choisi) le temps que le fromage ramollisse.

GARNITURE À L'EMMENTAL ET À LA CHAIR DE CRABE

1/2 tasse (125 ml) de fromage emmental râpé
1/2 tasse (125 ml) de chair de crabe effilée (ou de goberge à saveur de crabe)
1/4 de tasse (60 ml) de sauce Chili
1 échalote hachée
sel et poivre au goût
2 gouttes de tabasco (facultatif)

Mêlez tous les ingrédients, puis tartinez vos canapés de ce mélange.

Vous pouvez utiliser cette garniture pour garnir de petits vol-au-vent et les passer quelques minutes au four.

MAYONNAISE AU FROMAGE BLEU

1/2 tasse (125 ml) de (vraie) mayonnaise
4 onces (125 g) de fromage philadelphia ramolli
1/2 tasse (125 ml) de crème 15 %
1/3 de tasse (80 ml) de fromage bleu
1 c. à soupe (15 ml) de jus de citron

Mélangez tous les ingrédients au batteur à main ou au mélangeur et réfrigérez un peu avant l'usage.

Vous pouvez disposer, sur les canapés garnis de cette mayonnaise, des crevettes, des morceaux de jambon et les décorer de grains de coriandre ou de flocons de persil italien.

BÛCHE AU FROMAGE BLEU ET AUX NOIX

8 oz (250 g) de fromage bleu à la température ambiante
8 oz (250 g) de fromage à la crème à la température ambiante
4 oz (125 g) de beurre à la température ambiante
1 c. à soupe (15 ml) d'échalotes
1 c. à soupe (15 ml) de brandy ou de cognac
1 tasse (250 ml) de pacanes hachées finement

Mélangez bien les fromages et le beurre. Ajoutez les échalotes et le brandy. Formez un long rouleau avec le mélange et recouvrez-le de noix hachées.

Réfrigérez au moins 6 heures avant de servir. Servez froid avec des craquelins ou du pain français en fines tranches.

PETIT DÉJEUNER OU BRUNCH

ŒUFS FARCIS (mimosa)
(pour 4 personnes)

6 œufs cuits durs
1/2 tasse (125 ml) de yogourt nature
1/4 de tasse (60 ml) de fromage ricotta
1/2 c. à thé (2,5 ml) de paprika
1 c. à thé (5 ml) de persil *ou* d'estragon frais, finement haché
1/2 tasse (125 ml) de mayonnaise
sel et poivre

Faites 6 œufs cuits durs. Laissez refroidir, écalez, coupez-en 4 en deux. Retirez-leur les jaunes et mettez-les de côté.

Hachez ces jaunes avec les deux œufs entiers. Ajoutez le yogourt, le fromage ricotta, le persil ou l'estragon, le sel et le poivre. Liez le tout avec la mayonnaise. Remuez bien.

À l'aide d'une cuillère ou d'une poche à pâtisserie, remplissez les cavités des 8 moitiés d'œufs. Décorez de tranches d'olives noires, de persil ou d'estragon.

Disposez les œufs sur un lit de laitue trévise. Servez froid.

COURONNE D'ENDIVES AU BLEU

3 endives
1/4 de tasse (60 ml) de crème 35 %, fouettée
3 c. à soupe (45 ml) de mayonnaise
1/4 de tasse (60 ml) de fromage bleu ou roquefort
1/2 c. à thé (2,5 ml) de tabasco
1/2 c. à thé (2,5 ml) de sauce Worcestershire
sel
touffes de persil et olives farcies (facultatifs)

Défaites les endives en feuilles et mettez-les de côté.

Dans un bol, fouettez la crème jusqu'à consistance épaisse. Incorporez la mayonnaise. Remuez bien. Ajoutez ensuite le fromage bleu ou le roquefort. Mélangez de nouveau avant d'ajouter le tabasco, la sauce Worcestershire et le sel au goût.

Sur un plateau de service, disposez les feuilles d'endives en couronne, en les superposant légèrement. Versez la trempette au fromage dans un bol et déposez-la au centre du plateau en la décorant, si désiré, de persil et d'olives farcies tranchées.

Vous pouvez également choisir de farcir chaque feuille d'endive avec un peu de trempette, la rouler et la faire tenir à l'aide d'un cure-dent. Dans une assiette de service, dressez ces rouleaux en couronne et déposez un bol d'olives au centre.

NOTE: Cette trempette au bleu peut également se servir avec des tranches d'avocat, des crevettes, des bâtonnets de céleri ou des quartiers de pommes.

POIVRONS FARCIS
(pour 4 personnes)

3/4 lb (340 g) de bœuf haché, cuit
3/4 de tasse (180 ml) de semoule de blé (cuite)
2 tasses (500 ml) de champignons hachés
2 échalotes sèches (françaises), hachées
1 1/2 c. à soupe (22 ml) de fines herbes mélangées
4 poivrons verts (moyens), coupés en deux et épépinés
2 œufs
1 1/2 courgette râpée
1/2 tasse (125 ml) de cheddar fort râpé

Mélangez le bœuf, la semoule, les échalotes, les champignons et les fines herbes. Salez et poivrez au goût.

Garnissez les poivrons, déposez-les dans un plat allant au four, dans un petit peu d'eau, couvrez d'un papier d'aluminium et faites cuire au four à 375 °F (190 °C) durant 30 minutes.

Dans un bol, fouettez les œufs, ajoutez-y la courgette râpée et le fromage. Dès que les poivrons sont cuits, recouvrez-les chacun d'un quart de la préparation d'œufs et remettez au four, à *broil*, durant 5 ou 6 minutes.

CROQUETTES DE RIZ AU GORGONZOLA
(pour 4 personnes)

1/4 de tasse (60 ml) d'huile d'olive
1/2 poivron rouge coupé en très petits dés
1/2 poivron vert coupé en très petits dés
1 gros oignon finement haché
1/2 c. à thé (2,5 ml) de chili broyé
1 1/2 tasse (375 ml) de riz
1 c. à thé (5 ml) de sel
3 c. à soupe (45 ml) de persil frais, haché
2 œufs
1 tasse (250 ml) de gorgonzola coupé en dés
un peu de chapelure
sel et poivre

Faites blondir, dans un peu de beurre ou d'huile, les poivrons, l'oignon et le chili.

Faites cuire le riz selon votre méthode préférée. Dès qu'il est cuit, incorporez-y le persil et le fromage. Mêlez bien, puis ajoutez-y les légumes.

Enfarinez vos mains et façonnez 8 galettes de riz. Réfrigérez une vingtaine de minutes. Faites en sorte que vos galettes soient bien enfarinées.

Dans un bol, battez les œufs; dans une assiette, versez de la chapelure. Passez ensuite vos galettes dans l'œuf, puis dans la chapelure.

Cuisez ensuite dans l'huile jusqu'à ce que les galettes de riz soient chaudes et croustillantes. Servez.

ROULÉ DE JAMBON AU BRIE ET AUX ASPERGES
(pour 4 personnes)

8 tranches de jambon blanc (ou parisien)
1 tasse (250 ml) de sauce béchamel (voir la recette à la page 53)
1/2 tasse (125 ml) de fromage brie en tout petits morceaux
16 asperges cuites, blanches ou vertes
1 c. à thé (5 ml) de coriandre
8 tranches fines de brie
1/2 c. à thé (2,5 ml) de muscade
1 c. à thé (5 ml) de beurre

Disposez vos tranches de jambon à plat. Sur chacune, étendez une mince couche de sauce béchamel. Divisez vos petits morceaux de brie entre elles. Sur chacune, déposez ensuite 2 asperges et saupoudrez légèrement de muscade et de coriandre. Roulez et fixez.

Déposez dans un plat allant au four et légèrement graissé. Versez, sur vos rouleaux, le reste de la sauce béchamel, saupoudrez du reste de la coriandre et de la muscade, et déposez ensuite, sur chaque rouleau, une tranche de brie.

Faites cuire au four à 350 °F (175 °C) de 30 à 35 minutes.

BAGEL AU DUO DE FROMAGES ET AU GINGEMBRE
(pour 4 personnes)

2 bagels
3 bocconcinis émincés (16 tranches: 4 par portion)

4 grandes tranches minces de fromage emmental
1 c. à soupe (15 ml) d'huile d'olive
1 c. à soupe (15 ml) de gingembre fraîchement moulu
1 c. à thé (5 ml) de beurre

Coupez les bagels en deux et faites-les griller. Beurrez-les, puis disposez sur chaque moitié 4 tranches de bocconcini. Saupoudrez de gingembre et mouillez d'huile d'olive. Disposez une tranche d'emmental sur chaque moitié.

Faites fondre à four moyen de 8 à 10 minutes avant de gratiner sous le *broil.*

MUFFINS ANGLAIS À L'ITALIENNE
(pour 4 personnes)

8 muffins anglais
1 c. à soupe (15 ml) d'huile d'olive
2 c. à soupe (30 ml) de sauce Chili
1 c. à soupe (15 ml) d'origan
4 tomates fraîches, tranchées
sel et poivre
1 c. à thé (5 ml) d'ail fraîchement et finement haché
1 tasse (250 ml) de fromage parmesan
1 c. à soupe (15 ml) de persil frais, haché

Coupez les muffins en deux et badigeonnez-les d'un peu d'huile d'olive. Faites légèrement griller au four. Retirez du four, recouvrez de sauce Chili et d'origan. Garnissez ensuite avec les tranches de tomate salées et poivrées, parsemez d'ail haché et terminez avec le parmesan.

Mettez au four à 350 °F (175 °C) environ 8 minutes.

Retirez, saupoudrez de persil et servez.

CROÛTONS AU CHEDDAR ET À L'ORIGAN
(pour 4 personnes)

8 tranches fines de pain de campagne
1/4 de tasse (60 ml) d'huile d'olive
1 1/2 tasse (375 ml) de cheddar frais, râpé
1 c. à soupe (15 ml) d'origan
poivre frais, moulu

Badigeonnez les tranches de pain d'huile d'olive. Parsemez de fromage et de poivre.

Mettez au four à 350 °F (175 °C) de 8 à 10 minutes.

Retirez, saupoudrez d'origan et d'un filet d'huile d'olive. Servez chaud.

QUICHE AUX ÉPINARDS ET AU FROMAGE FETA
(pour 4 ou 5 personnes)

Suffisamment de pâte brisée pour un fond d'assiette de 9 po (23 cm)
4 œufs
3/4 de tasse (180 ml) de crème 15 %
2 pincées de muscade
sel et poivre au goût
1/4 de tasse (60 ml) de fromage feta émietté
1/2 tasse (125 ml) d'épinards cuits et égouttés
1 échalote sèche (française), finement hachée

Abaissez la pâte et déposez-la dans votre assiette d'aluminium. Pour une quiche parfaitement réussie, il est préférable de précuire le fond de tarte car la quiche n'étant pas recouverte d'une seconde abaisse, le fond a tendance à rétrécir à la cuisson. Pour précuire un fond de tarte, posez une seconde assiette d'aluminium *sur* la pâte étendue dans la première assiette (et que vous aurez préalablement piquée à la fourchette en plusieurs endroits) et déposez sur cette seconde assiette un petit bol allant au four afin de faire, sur votre fond de quiche, un poids qui évitera le rétrécissement. Mettez dans un four préchauffé à 400 °F (200 °C) pendant environ 10 minutes. Retirez du four, réduisez celui-ci à 375 °F (190 °C) et laissez refroidir les assiettes avant de retirer celle du dessus. Pendant ce temps, préparez votre garniture.

Faites revenir, très légèrement, l'échalote sèche dans un peu de beurre. Dans un bol, fouettez les œufs, la crème, la muscade, le sel et le poivre. Dans le fond de tarte, déposez les épinards, égouttés et coupés en morceaux, et le fromage feta; parsemez d'échalotes. Versez les œufs battus sur le tout et enfournez. Faites cuire de 35 à 45 minutes au centre du four.

NOTE: L'appareil à quiche, avant cuisson, est très liquide. Pour éviter les dégâts, remplissez votre fond de tarte directement sur la cuisinière afin d'être proche du four.

QUICHE SAFRANÉE AUX TROIS FROMAGES
(pour 4 ou 5 personnes)

Suffisamment de pâte brisée pour un fond d'assiette de
   9 po (23 cm)
4 œufs
3/4 de tasse (180 ml) de crème 15 %
1/4 de tasse (60 ml) de gruyère râpé
1/4 de tasse (60 ml) de parmesan
1/4 de tasse (60 ml) de gouda émietté
1/2 c. à thé (2,5 ml) de cerfeuil
1/2 c. à thé (2,5 ml) de safran
sel et poivre au goût

Préparez votre fond de quiche comme nous l'avons expliqué précédemment (voir la recette «Quiche aux épinards et au fromage feta», à la page 140).

Dans un bol, fouettez les œufs, la crème, le cerfeuil, le safran, le sel et le poivre.

Dans un autre bol, mélangez les trois fromages et déposez-les dans le fond précuit. Versez le mélange d'œufs bien battus sur le tout et enfournez.

Faites cuire à 375 °F (190 °C) de 35 à 45 minutes au centre du four.

OMELETTE AU BACON ET AU SCAMORZA
(pour 4 personnes)

6 œufs
6 tranches de bacon frit et émietté
1/2 c. à thé (2,5 ml) de cerfeuil

sel et poivre
1/4 de tasse (60 ml) de crème 35 %
1/2 tasse (125 ml) de fromage scamorza coupé en petits dés
1/4 de tasse (60 ml) de beurre
1/4 de tasse (60 ml) d'échalote grise, hachée

Dans un bol, fouettez les œufs avec la crème, le cerfeuil, du sel et du poivre au goût.

Dans une poêle, faites revenir le bacon cuit et émietté et l'échalote dans le beurre. Versez ensuite, dans la poêle, le mélange d'œufs battus.

Laissez cuire au goût, ajoutez le fromage, pliez l'omelette en deux et mettez au four à 375 °F (190 °C) pendant 5 minutes. Servez chaud.

CASSOLETTE DE LÉGUMES AU FROMAGE DE CHÈVRE
(pour 4 personnes)

1/4 de tasse (60 ml) de beurre
2 échalotes hachées
2 gousses d'ail hachées
6 tasses (1,5 litre) d'épinards hachés
1/2 c. à thé (2,5 ml) de muscade ou de cannelle
1 1/2 lb (690 g) de pommes de terre finement tranchées
2 poivrons rouges hachés
3 tasses (750 ml) de champignons tranchés
3 œufs
1 tasse (250 ml) de crème 15 %
2/3 de tasse (160 ml) de fromage parmesan
1/2 lb (225 g) de fromage de chèvre grossièrement coupé
sel et poivre au goût

Dans une casserole, faites blondir 2 c. à soupe (30 ml) de beurre. Faites-y revenir les échalotes, l'ail, les épinards, la muscade ou la cannelle. Salez et poivrez au goût, et versez dans un moule carré (8 po ou 10 po [20 cm ou 25 cm]), préalablement graissé.

Faites cuire les pommes de terre un peu croquantes, puis étendez-en la moitié sur le mélange d'épinards. Faites sauter, dans le beurre qui reste, les poivrons et les champignons, puis versez-les sur les pommes de terre. Parsemez de fromage de chèvre. Recouvrez avec le reste des pommes de terre.

Dans un bol, fouettez les œufs, la crème et le fromage parmesan. Versez dans le moule en secouant celui-ci légèrement pour que le mélange d'œufs s'incorpore bien au reste des ingrédients.

Faites cuire au four à 400 °F (200 °C) pendant environ 30 minutes.

MUFFINS AUX TROIS FROMAGES

2 tasses (500 ml) de farine
3 c. à thé (15 ml) de poudre à pâte
1/2 c. à thé (2,5 ml) de sel
1 œuf
1 tasse (250 ml) de lait
1/4 de tasse (60 ml) de margarine ou de beurre fondu
2 c. à soupe (30 ml) de persil frais, finement haché
1/4 de tasse (60 ml) de fromage cheddar mi-fort râpé
1/4 de tasse (60 ml) de fromage gruyère râpé
1/4 de tasse (60 ml) de fromage parmesan râpé

Dans un bol, mêlez la farine, la poudre à pâte et le sel.

Dans un autre bol, fouettez ensemble l'œuf, le lait, la margarine fondue (ou le beurre) et le persil. Ajoutez les fromages et mêlez bien.

Faites un puits au centre des ingrédients secs et versez-y les ingrédients liquides. Mêlez jusqu'à homogénéité. Versez aux 3/4 dans des moules à muffins et enfournez.

Faites cuire à 400 °F (200 °C) de 20 à 25 minutes. Donne 12 muffins.

MUFFINS À LA GRECQUE

2 tasses (500 ml) de farine
3 c. à thé (15 ml) de poudre à pâte
1/2 c. à thé (2,5 ml) de sel
1/2 c. à thé (2,5 ml) d'origan
1 œuf
1 tasse (250 ml) de lait sur
1/4 de tasse (60 ml) d'huile d'olive
1 tasse (250 ml) de fromage feta coupé en petits morceaux
    enrobé de:
1/4 de tasse (60 ml) de persil haché et de
1/4 c. à thé (1 ml) d'ail haché
1/2 tasse (125 ml) d'olives noires, dénoyautées et hachées

Dans un bol, mêlez la farine, la poudre à pâte, le sel et l'origan.

Dans un autre bol, fouettez ensemble l'œuf, le lait et l'huile d'olive. Faites un puits au centre des ingrédients secs et versez-y les ingrédients liquides. Mêlez jusqu'à homogénéité. Incorporez le fromage feta enrobé de persil et d'ail auquel vous aurez également mêlé les olives. Mélangez de nouveau. Versez aux 3/4 dans des moules à muffins et enfournez.

Faites cuire à 400 °F (200 °C) de 20 à 25 minutes. Donne 12 muffins.

MUFFINS AU JAMBON DE PARME ET AU BRIE

2 tasses (500 ml) de farine
3 c. à thé (45 ml) de poudre à pâte
1 c. à thé (5 ml) de baies de genièvre écrasées
1 œuf
1 c. à thé (5 ml) de sucre
1 tasse (250 ml) de crème sure
1/4 de tasse (60 ml) de margarine ou de beurre fondu
1 tasse (250 ml) de jambon de Parme grossièrement haché
3/4 de tasse (180 ml) de fromage brie en petits cubes

Dans un bol, mêlez la farine et la poudre à pâte.

Dans un autre bol, fouettez ensemble l'œuf, la crème sure et la margarine fondue (ou le beurre). Faites un puits au centre des ingrédients secs et versez-y les ingrédients liquides. Mêlez jusqu'à homogénéité. Incorporez le jambon et le fromage. Mélangez de nouveau. Versez aux 3/4 dans des moules à muffins et enfournez.

Faites cuire à 400 °F (200 °C) de 20 à 25 minutes. Donne 12 muffins.

MUFFINS À LA CHAIR DE HOMARD ET AU FROMAGE GREC

2 tasses (500 ml) de farine
3 c. à thé (15 ml) de poudre à pâte
1/2 c. à thé (2,5 ml) de sel
1 œuf
1 tasse (250 ml) de crème 15 %
1/4 de tasse (60 ml) d'huile d'olive
1 c. à thé (5 ml) d'ail haché
1 c. à thé (5 ml) de basilic frais, haché
1/2 tasse (125 ml) de fromage kéfalotyri en petits dés
    ou émietté
1 tasse (250 ml) de chair de homard hachée

Dans un bol, mêlez la farine, la poudre à pâte et le sel.

Dans un autre bol, fouettez ensemble l'œuf, la crème, l'huile, l'ail et le basilic. Faites un puits au centre des ingrédients secs et versez-y les ingrédients liquides. Mêlez jusqu'à homogénéité. Incorporez le fromage et la chair de homard. Mélangez de nouveau. Versez aux 3/4 dans des moules à muffins et enfournez.

Faites cuire à 400 °F (200 °C) de 20 à 25 minutes. Donne 12 muffins.

MUFFINS AU JAMBON FUMÉ ET AU GRUYÈRE

2 tasses (500 ml) de farine
3 c. à thé (15 ml) de poudre à pâte
1/2 c. à thé (2,5 ml) de sel
1 œuf

1 tasse (250 ml) de lait
1/4 de tasse (60 ml) de margarine ou de beurre fondu
1/2 tasse (125 ml) de gruyère râpé
1/2 tasse (125 ml) de jambon coupé en petits dés

Dans un bol, mêlez la farine, la poudre à pâte et le sel.

Dans un autre bol, fouettez ensemble l'œuf, le lait et la margarine fondue. Faites un puits au centre des ingrédients secs et versez-y les ingrédients liquides. Mêlez jusqu'à homogénéité. Incorporez le fromage et le jambon préalablement mêlés. Mélangez de nouveau. Versez aux 3/4 dans des moules à muffins et enfournez.

Faites cuire à 400 °F (200 °C), de 20 à 25 minutes. Donne 12 muffins.

MUFFINS AU FROMAGE DE CHÈVRE ET AUX OLIVES VERTES

2 tasses (500 ml) de farine
3 c. à thé (15 ml) de poudre à pâte
1/2 c. à thé (2,5 ml) de sel
1 œuf
1 tasse (250 ml) de lait de chèvre
1/4 de tasse (60 ml) d'huile d'olive
1 tasse (250 ml) de fromage de chèvre en petits dés
1/2 tasse (125 ml) d'olives vertes (de type grec),
    dénoyautées et hachées

Dans un bol, mêlez la farine, la poudre à pâte et le sel.

Dans un autre bol, fouettez ensemble l'œuf, le lait de chèvre et l'huile d'olive. Faites un puits au centre des ingrédients secs et versez-y les ingrédients liquides. Mêlez jusqu'à homogénéité. Incorporez le fromage et les olives. Mélangez de nouveau. Versez aux 3/4 dans des moules à muffins et enfournez.

Faites cuire à 400 °F (200 °C) de 20 à 25 minutes. Donne 12 muffins.

PÊCHES FARCIES

1 boîte de demi-pêches égouttées
4 oz (100 g) de fromage à la crème
2 tranches de jambon finement coupées
1/2 c. à thé (2,5 ml) d'estragon séché
2 c. à soupe (30 ml) de céleri haché fin
1 petit oignon haché fin
sel et poivre au goût
feuilles de céleri (celles du cœur sont les meilleures) pour
    décorer

Dans un plat allant au four, disposez 8 demi-pêches.

Hachez finement les pêches qui restent. Dans un bol, défaites le fromage en crème et incorporez-y le jambon, le céleri, les pêches hachées, l'oignon et l'estragon. Salez et poivrez.

Réfrigérez ce mélange 1 heure, puis, juste avant de servir, mettez les pêches (non farcies) au four pour une dizaine de minutes. Ensuite, sortez-les du four et remplissez-les du mélange de fromage et de jambon.

Garnissez chaque moitié d'une feuille de céleri.

Nous ne pouvons clore ce chapitre sans vous donner au moins une recette de fondue au fromage, ce mets délectable, si plaisant à déguster quand on est entre amis et qui s'avère un plat tout à fait approprié au brunch.

FONDUE AUX TROIS FROMAGES

1 gousse d'ail (ou plus au goût)
2 tasses (500 ml) de vin blanc
1 oignon en dés
1 poivron vert en dés
1 boîte de 19 oz (540 ml) de tomates en conserve, hachées
1 tasse (250 ml) de chacun des trois fromages suivants: cheddar râpé, romano râpé et gruyère râpé
1 c. à thé (5 ml) de paprika
poivre au goût

Frottez le poêlon à fondue avec une gousse d'ail. Ajoutez le vin blanc, l'oignon, le poivron, les tomates, l'ail si désiré et faites chauffer. Incorporez graduellement les fromages et, lorsqu'ils sont fondus, le paprika et le poivre.

Servez avec des cubes de pain croûté et des crudités.

NOTE: Vous pouvez rehausser le goût de la fondue en y ajoutant 2 c. à soupe (30 ml) de cognac ou de kirsch.

DÉGUSTATION DE FROMAGES ET DE VINS

Avant d'entamer la partie de ce livre réservée aux dégustations de fromages et de vins, permettez-nous de vous faire quelques suggestions sur le plateau de fromages que l'on sert à la fin d'un repas.

Les fromages peuvent se servir, bien sûr, avec de bonnes tranches de pain baguette, ou des morceaux de pain complet croûté et bien frais. Cependant, les fromages que vous aurez judicieusement choisis pour plaire à vos convives seront tout autant appréciés, sinon plus (après un repas souvent trop copieux) avec une salade légère, des noix et des fruits.

Voici trois exemples comportant chacun trois ou quatre sortes de fromages que vous pouvez servir en fin de repas pour arriver, sans aucun doute, à satisfaire tout le monde:

1. neufchâtel canadien, remoudou, oka;

2. cheddar, roquefort, livarot;

3. munster, scamorza, tomme, boursin.

Cela dit, si la plupart des fromages peuvent être servis en fin de repas, il y a quand même quelques exceptions, surtout en ce qui concerne les fromages à pâtes fraîches. Ainsi, le cottage, le ricotta, le philadelphia, le fromage blanc, le quark et le tuma, par exemple, seront préférablement servis en entrée ou en collation.

L'important, c'est de faire un plateau équilibré afin de combler les goûts et les préférences de chacun. Le meilleur moyen est incontestablement de choisir un ou des fromages de différentes catégories afin d'avoir une assortiment de textures et de saveurs.

En outre, ce qui revêt également une certaine importance, ce sont les aliments qui composent le menu principal du repas. Ainsi, après des mets très épicés, les dîneurs apprécieront très certainement des fromages doux, tandis que des fromages au goût prononcé et corsé seront les bienvenus après des grillades.

SERVICES TYPES

Vous trouverez ci-dessous cinq services types pour organiser une dégustation de fromages. En ce qui concerne les vins et la bière, vous trouverez, à la suite des suggestions de fromages, de judicieuses suggestions élaborées par les auteurs, en collaboration avec Pierre Moisan, directeur adjoint de la succursale de la SAQ située place Côte-Joyeuse, à Saint-Raymond-de-Portneuf.

Quant au choix de la marque de vin ou de bière, eh bien, reconnaissons-le, il s'agit bien souvent d'une question de budget! Le choix est tellement vaste qu'il est facile de s'y perdre ou... de s'y ruiner!

Cela dit, de façon générale, une dégustation de vins ou fromages comporte au moins trois services. Dans l'ordre des choses, le premier service est constitué de fromages, de bières et de vins doux, le second moyennement forts et le troisième, carrément corsés.

Vous pouvez, bien sûr, préparer plus de trois services ou, si vos moyens financiers sont plus limités, un seul plateau, comportant plusieurs types de fromage et accompagnés de quelques bonnes bouteilles de bière et de vin judicieusement choisies.

Nous vous offrons, pour notre part, une dégustation à cinq services. Vous pouvez, bien entendu, ajouter ou soustraire des fromages, éliminer un ou deux services ou, au contraire, comme vous le constaterez au deuxième plateau, subdiviser un service pour en faire deux supplémentaires d'un seul fromage chacun, avec un alcool qui lui convient plus spécifiquement. Autrefois, d'ailleurs, c'est ainsi que l'on procédait dans les dégustations: un fromage, un vin; aujourd'hui, on marie les fromages dont la saveur est sensiblement de même force.

QUELQUES TRUCS ET CONSEILS

• Les fromages décrits comme étant hautement périssables doivent être achetés à la dernière minute; il est également conseillé de vous procurer vos fromages dans un magasin où il vous est permis d'y goûter d'abord. Prenez votre temps. Le succès de votre dégustation est tributaire de la qualité et de la fraîcheur de vos fromages.

• Les fromages se dégustent à la température de la pièce, car le froid masque leurs véritables bouquets. Vous devez donc les sortir du réfrigérateur environ 1 heure avant de les servir.

• L'idéal est de présenter les fromages sur des plateaux individuels, de bois ou de marbre, ou encore dans des assiettes de verre. Prévoyez environ 1/2 livre (225 g) de fromage par personne (tous fromages confondus).

• Pour éviter la sempiternelle question: «Comment s'appelle ce délicieux fromage?» ou encore — puisqu'il semble que les goûts, ça ne se discute pas! —, «Quel est le nom de cette horreur?», prenez le temps d'identifier chaque fromage en déposant, près de lui, un petit carton portant son nom.

• Il est important que chaque fromage, ou tout au moins ceux qui sont de textures différentes, ait son propre couteau à trancher; il est conseillé, en outre, de mettre des fourchettes à la disposition des convives et de changer les assiettes entre chaque service.

• Le fait de laisser aux fromages leurs croûtes est laissé à la discrétion des hôtes.

• De façon générale, le fromage est dégusté avec du pain ou des biscottes sans beurre sauf, quelquefois, pour accompagner les pâtes persillées.

• Les fruits, les légumes, les noix, les herbes et les condiments devraient se consommer après la dégustation des fromages, entre chaque service et non pas en même temps que ceux-ci.

• Les convives devraient boire un verre d'eau plate ou pétillante entre chaque changement de service.

LES PLATEAUX DE FROMAGES

PREMIER SERVICE
• Fromages: boursin, cottage, mitzythra, neufchâtel, quark, ricotta, tuma;

• Biscottes et craquelins, bâtonnets Grissol au sésame, pain tranché, grillé, pain au raisin;

• Légumes: bâtonnets de carottes, de céleri, bouquets de brocoli et de chou-fleur;

• Fruits: quartiers d'agrumes: clémentine, orange, pamplemousse;

• Bière et vin: champagne, vin blanc sec, vin rouge fruité, vin mousseux doux, bière brune ou blonde forte.

DEUXIÈME SERVICE

* Fromages: brie, camembert, langres, limburger, livarot, munster des Vosges, pont-l'évêque, serra, scamorza, oka;

* Baguette blanche, pain complet coupé en tranches fines et légèrement grillé, biscuits soda, pain au malt et aux raisins;

* Légumes: laitue en feuilles genre frisée ou boston, car elles sont tendres et ne sont pas amères; céleri, queues de brocoli, tomates cerises, olives noires;

* Fruits: pommes, poires fraîches coupées en quartiers, raisins verts;

* Noix et amandes;

* Bière et vin: pour le livarot, servir à part un calvados; pour le pont-l'évêque, un cidre brut; pour les autres, vin blanc sec ou rouge de légèrement fruité à corsé, bière blonde ou brune forte.

NOTE: Vous pouvez même faire deux mini-services supplémentaires, un avec le livarot et son calvados, et un avec le pont-l'évêque et son cidre.

TROISIÈME SERVICE

* Fromages: alpina, colby, emmental, monterey jack, saint-paulin, tomme;

* Pain de campagne en tranches moyennement épaisses, coupées en 4 et grillées, pain aux épices, pain de seigle, pain aux figues;

- Légumes: petits bouquets de cresson, céleri, oignons verts en branches ou ciboulette, bâtonnets de panais, tomates cerises, olives vertes ou noires;

- Fruits: poires, raisins rouges, fraises, figues;

- Amandes et noix; gingembre frais en petits cubes;

- Bière et vin: vin blanc ou rouge fruité, bière blonde ou brune légère et douce.

Quatrième service
- Fromages: brick, cheddar, édam, gouda, tilsit;

- Pain noir, pain aux épices, ficelle tranchée, pain au malt, pain aux dattes;

- Légumes: bâtonnets de courgettes et de carottes, pois mange-tout, feuilles d'épinard et de pissenlit, tomates, olives noires;

- Prunes ou pruneaux, raisins, cerises;

- Amandes et noix;

- Bières et vins: vin fort et corsé, blanc ou rouge, ou bière forte, blonde ou brune, ou encore bière importée au goût prononcé.

Cinquième service
- Fromages: kéfalotyri, parmesan, pecorino romano, bleu, roquefort, stilton, chèvre;

• Pain de campagne au blé entier, pain de seigle, pain noir, pain complet;

• Légumes: céleri, échalotes entières, bâtonnets de céleri-rave;

• Fruits: pommes, poires, tranches fines d'avocat, fraises, raisins;

• Branches de thym et de romarin;

• Amandes et noix;

• Bières et vins: vin blanc ou rouge, sec et corsé, vin cuit de genre porto, bière brune ou blonde forte.

LES VINS, LES CIDRES ET LES BIÈRES

Après avoir précisé le type de vin, de cidre, d'alcool ou de bière à servir, voici, plus en détail, certaines suggestions de marque.

Vins rouges fruités
• Beaujolais-Villages
• Bourgogne Passe-Tout-Grains
• Pinot noir de vieilles vignes, bourgogne A. Rodet
• Moulin à vent, Georges Dubeuf, beaujolais

Vins blancs fruités
• Gentil Hugel, Alsace
• Bourgogne blanc, Le Roy, Côte d'Or
• Candidato (Espagne)
• Laroche, chardonnay

Vins rouges secs
- Clos Bagatelle, Saint-Chinian
- Merlot, Lurton
- Domaine Canton, pinot noir
- Cabernet franc

Vins blancs secs
- Château de Lisolette, Côte du Luberon
- Berloup Terroir, Coteaux du Languedoc
- Serego Alighieri, Masi
- Caliterra, sauvignon blanc, Chili

Vins rouges corsés
- Côtes d'Olt, Cahors
- Saveurs Oubliées, Corbières
- Madiran, Chevalier d'Antrace
- Château du Grand Gaumont, Corbières

Vins blancs corsés
- Mâcon-Chardonnay, Louis Roche
- Château Timberlay, Bordeaux
- Côtes du Rhône, Saint-Esprit
- Vina Sol, Torres, Espagne

Vin du terroir
ROUGE
- Vieux Portail, cuvée spéciale, Maison Futaille

BLANCS
- Dietrich-Jouss, Iberville
- L'Orpailleur inc.

Cidres
- Crémant de pommes du minot, mousseux, demi-doux, Québec
- Pédoncule, demi-doux, Québec
- Bolée du Minot, brut, Réserve Québec
- Duché de Longueuil Antoinette, demi-sec, France
- D'Aubel forte aux pommes blondes, bière belge aux pommes

Vins cuits
- Porto Saint-Georges, Canada
- Saint-Raphaël, France
- Dubonnet, France

Vins mousseux
- Gratien et Meyer, brut mousseux
- Kriter, mousseux demi-doux, France
- Rémy-Pannier, brut, France
- Henkell Trocken, Allemagne

Champagne
- Paul Gœrg, brut,
- Moët & Chandon, brut
- Mumm Cordon Rouge, brut

Bières blondes douces
- Cap Tourmente, 4,1 %, Le Cheval Blanc, Québec
- Ale à la citrouille, 5 %, Brasserie McAuslan inc.
- Dab lager, 5 %, Allemagne
- Kronenburg Lager, 5 %, France

Bières blondes fortes

- 1837, ale forte sur lie blonde, 7 %, Unibroue
- Seigneuriale, triple ale, 8 %, Brasserie Seigneuriale
- La Bière du Démon, ale extra-forte, 12 %, France
- Duvel, ale forte, 8,5 %, Belgique

Bières brunes et rousses douces

- Apollo, ale rousse, 4,5 %, États-Unis
- Duchesse de Bourgogne, ale brune, 5,3 %, Belgique
- Scottish Oatmeal, stout brune, 4,2 %, Écosse
- Old Speckled-hen, rousse, 5,2 %, Angleterre

Bières brunes et rousses fortes

- Steenbrugge, ale d'abbaye, 6,5 %, Belgique
- Canon, bière de garde, 7,6 %, Québec
- Trafalgar extra-forte rousse, 9 %, Angleterre
- Abbaye de Saint-Landelin, 8 %, France

ANNEXE

Voici un rappel des boissons suggérées pour les fromages de chaque catégorie.

PÂTES FRAÎCHES

À LA CRÈME: Vin blanc mousseux, vin rouge fruité ou bière
   blonde
BOURSIN: Vin blanc sec ou vin rouge fruité
COTTAGE: Champagne mousseux, fruité
MYTZITHRA: Vin rouge corsé, bière brune forte
NEUFCHÂTEL: Vin rouge corsé, bière brune forte
PETIT SUISSE: Champagnette
QUARK: Vin blanc sec ou vin rouge fruité
RICOTTA: Vin blanc doux, fruité
TUMA: Vin rouge fruité, champagne, bière brune forte

PÂTES MOLLES

BRIE: Vin blanc sec, vin rouge fruité, bière blonde

CAMEMBERT: Vin rouge corsé ou sec, bière blonde forte

LANGRES: Vin blanc ou vieux rouge du terroir

LIMBURGER: Vin blanc ou rouge sec et fruité, bière blonde douce

LIVAROT: Calvados, vin blanc corsé ou vin rouge du terroir

MAROILLES: Vin rouge corsé, bière brune ou blonde forte

MUNSTER DES VOSGES: Vin d'Alsace, bière brune ou blonde forte

NEUFCHÂTEL (FRANÇAIS): Vin rouge sec, bière brune douce

PONT-L'ÉVÊQUE: Cidre brut ou vin rouge corsé

REMOUDOU: Vin rouge sec et fruité, bière blonde forte

PÂTES DEMI-FERMES

ALPINA: Vin blanc fruité, bière blonde légère

BOCCONCINI: Vin blanc fruité, champagne doux

BURRINI: Vin blanc ou rouge sec

CACIOTTA: Vin blanc ou rouge fruité, bière brune

CASATA: Vin rouge ou blanc fruité

FETA: Vin blanc ou rouge légèrement corsé

FIOR DI LATTE: Vin blanc fruité, bière douce

HAVARTI: Vin rouge ou blanc fruité

MONTEREY JACK: Vin rouge corsé, bière brune forte

MOZZARELLA: Vin blanc ou rouge fruité

MUNSTER: Vin du terroir blanc ou rouge, bière brune forte

OKA: Vin rouge corsé, vin blanc du terroir, bière brune forte

SAINT-PAULIN: Vin rouge ou blanc fruité

SCAMORZA: Vin blanc italien ou rouge corsé

SERRA: Vin blanc ou rouge légèrement corsé

SURSIS: Vin blanc fruité, bière blonde douce
TOMME: Vin blanc ou rouge corsé, bière blonde forte
TRECCE: Vin blanc fruité, bière brune ou blonde légère

PÂTES FERMES

BRICK: Vin rouge du terroir, bière brune forte
CHEDDAR: Vin blanc sec, vin rouge du terroir, vin cuit, bière brune forte
COLBY: Vin blanc fruité, vin rouge léger, bière blonde ou brune douce
ÉDAM: Vin rouge corsé, bière néerlandaise forte
ELBO: Vin blanc sec, vin rouge fruité, bière blonde corsée
EMMENTAL: Vin blanc ou rouge fruité
FONTINA VAL D'AOSTA: Vin blanc ou rouge doux, bière blonde douce
GOUDA: Vin blanc ou rouge, bière brune forte
GRUYÈRE: Vin blanc sec
MONTASIO: Vin rouge ou blanc corsé, bière blonde forte
NEWBRA: Vin blanc ou rouge fruité
PROVOLONE: Vin italien rouge ou blanc corsé
RACLETTE: Vin rouge ou blanc fruité
SAINT-ANDRÉ: Vin blanc doux ou rouge fruité
TILSIT: Vin rouge ou blanc sec

PÂTES DURES

GRANA PADANO: Vin italien, rouge ou blanc, corsé
KÉFALOTYRI: Vin rouge du terroir, vin cuit genre porto
PARMESAN: Vin italien, blanc ou rouge, corsé
PECORINO ROMANO: Vin rouge du terroir ou blanc sec italien

PÂTES PERSILLÉES

BLEU: Vin blanc ou rouge corsé, vin cuit

GORGONZOLA: Vin rouge corsé ou vin blanc sec, bière brune ou blonde forte

ROQUEFORT: Vin rouge ou blanc sec (relevé avec des épices), vin cuit

STILTON: Vin rouge ou blanc du terroir, bière anglaise forte

INDEX

BIBLIOGRAPHIE

La table en Fête, Les Cercles de Fermières du Québec, Montréal, Éd. du Cercle des Fermières du Québec, 1987.

Les Recettes Five Roses, 1981.

Nos fromages par goût et par cœur, Bureau laitier du Canada, 1987.

ENSRUD, Barbara. *Le guide des fromages*, Montréal, Toronto, Éditions Optimum Internationales inc., 1982.

LABELLE, Robert et André PICHÉ. *Les 80 meilleurs fromages de chez nous et leurs vins d'accompagnement*, Montréal, Éditions Transcontinentales inc., 1994.

LETELLIER, Julien. *Les fromages*, Sainte-Marie-de-Beauce, Québec Agenda,1989.

NANTET, Bernard. *Le goût du fromage*, Paris, Éditions Flammarion, 1994.

PLUME, Christian. *Le livre du fromage*, Paris, Éditions des Deux Coqs d'or, 1968.

SOMMAIRE